JN076836

ブースター接種世界一の日本人よ!

【In Deep】破壊真っ只中の地球

探せ! 安全に歩くためのマップを!

岡靖洋

ヒカルランド

運用されている人工衛星の数が７０００機を突破した。宇宙にあるこれらの携帯電話基地局は、地球全体の電磁環境を変化させ、地球上のすべての生命を衰弱させている。

最初に米国が打ち上げた28基の軍事衛星でさえ、１９６８年６月13日に運用を開始したときにインフルエンザの世界的大流行を引き起こした。香港風邪は１９６８年６月に始まり、１９７０年４月まで続き、世界的に最大４００万人が亡くなった。

2021年3月24日から25日にかけて、混乱が新たなレベルに達した。

その24時間の間に、記録的な96基の衛星が1日に宇宙に打ち上げられたのだ。60基はスペースX、36基はワンウェブによるものだった。同じ日に、スペースXは衛星インターネット接続の速度を劇的に向上させた。

その日、世界中の人々が突然眠れなくなり、衰弱し、疲労が強くなり、筋肉のけいれんや、脚に痛みやかゆみが生じた。多くに発疹があり、めまいと吐き気があり、腹痛と下痢があった。

2021年4月15日の私のニュースレター「調査結果」は、老いも若きも、電気的感受性を自称する人々（※携帯電波から影響を受けることを自覚している人たち）も、そうでない人々も含めて、私が受け取った大量のメールの一部を引用している。家の外にスマートメーターと5Gアンテナがあり、携帯電話から私にメールを送ってきた人は全員、同じ経験を報告しており、また、多くが、自分だけでなく、配偶者、子供、両親、隣人、友人、同僚、顧客、その他すべての人が同じような状態を報告していた。

「自宅から最も近い携帯電話基地局から受ける放射線の100倍だ」というものが宇宙から降り注いでいるのだとすれば、逃げ場ナシですね。

ロス・アディ氏は、カリフォルニア大学ロサンゼルス校の脳研究所で、国防総省の「パンドラ計画」に協力した。パンドラ計画は、マインドコントロールに電磁放射を使用する方法を模索した極秘プログラムだ。

1970年代後半、アディ氏は、カリフォルニア州にある病院に新しい研究室を設立し、そこでは、ガンの促進における電力周波数の役割、および、携帯電話の電磁放射が細胞に曝露した後の潜在的な発ガンリスクに関する研究を実施した。

アディ氏は、携帯電話の放射線への長期曝露に関する研究で、携帯電話からの放射線の曝露からマウスを保護すると、マウスの腫瘍の発生が少なくなることを発見した。

このような危機を打破する方法はひとつしかないのかもしれません。

それは、地球のそれに関するシステムが破綻することです。

経済でも、他の何かでもいいですが、「携帯どころではない」というようなところまで行き着けば、少しは収まっていくのかもしれません。

あと、太陽活動がメチャクチャ活発になって、多くの人工衛星の機能が破壊されるとか。↑これは数年内にはそれなりに可能性が高そう。

というのも、すでに太陽活動で結構な数の衛星が破壊されているんですよ。

今年2月には、スペースXの人工衛星40基が機能停止しています。

少し前の「最終的には、数十億人の命が危険にさらされる可能性がある」という記事でご紹介させていただいた京都大学名誉教授の福島雅典氏は以下のように述べています。

「メッセンジャーＲＮＡをナノパーティクル（脂質ナノ粒子）にくるんで入れることが、どれだけ危険なことか」

これを知っていた方々は、日本だけではなく、西側全体に非常に多くいらっしゃったと思いますが、接種の進行を止めることはできませんでした。

「人体に使ってはいけないような物質を人体に使用した」ことの結果は、これから長い時間が示してくれると思います。

なぜ、このようなことが止められず進行してしまったのかと日々思います。

ヒトヘルペスウイルス6型がうつ病の原因になることを見出したのは、日本の医学者で、東京慈恵会医科大学のウイルス学が専門である近藤一博教授です。

ヒトヘルペスウイルス6型は、双極性障害にも関係している。

数年後の社会：双極性障害、大うつ病性障害、統合失調症、アルツハイマー病……HHV－6の再活性化が及ぼす広い影響に戸惑うばかり。

「研究者たちは、ＨＨＶ－６型ウイルスがニューロンに感染し、精神障害につながる認知障害を引き起こす可能性があることを初めて示した」という内容の論文です。

コロナ、というよりも、「スパイクタンパク質が、ヒトヘルペスウイルスを再活性化させる」ことについては、こちらの記事で、それを示唆する論文等をご紹介しています。

「今後おそろしいほど、うつ病を含めた精神疾患が増加する」

「スパイクタンパク質は、その主要な原因となるヘルペスウイルスを再活性化させる」

うつ病は結果として、自死に結びつく割合が最も多い疾患だからです。

「人間の感情が平坦化してしまう」

「人々のエネルギーが何か変化してしまった」

2021年以来、人間のエネルギーは変わってしまったのだろうか。

さて、最近、アメリカ議会の上院特別委員会が、「現在、認識されている未確認飛行物体は、人間による製作物ではなく、宇宙あるいは異次元から来たものである」「ＵＦＯは、外国の兵器ではなく、異次元あるいは物理的な宇宙空間からの物体」であるとみとめた。

緊急に創設された全領域異常解決局（ＡＡＲＯ）からの報告では、

「彼らは、彼ら自身にしっかりと浸透しているエーテル性の惑星から来ている。その世界は私たち（地球の人間）には知覚できない」「訪問者たちの体と乗り物は、私たちの高密度物質の振動率に入り、実体化されたものだ」「彼らは意志でエーテル性を再入力し、跡形もなく私たちの視界から簡単に消えてしまうことができる」「ＵＦＯはどこか他の星から来たものではない」ことを認識していたことがわかります。

「彼ら自身にしっかりと浸透しているエーテル性の惑星から来ている」と、わかりにくい表現となっていますが、いわゆる「異次元」ということです。そして、それはこの物質地球にやってくると「実体化する」と書かれてあります。

はじめに

本書は、私がこれまで配信してきたメルマガ「In Deep」の記事の中から、改めて一人でも多くの方々に読んでいただきたい内容のものをピックアップして、少しだけ加筆修正(編集)してあります。

いったい、今、地球で何が起きているのか?

その一端を知るために、この本が少しでも読者の皆さんの参考になれば幸いです。

目次

Part 1

コロナに関する危ない話
――日本のコロナ死者数は世界断トツで増加中!

Part 2

第三次世界大戦に関する危ない話
――米ロ直接衝突と世界終末報復装置

Part 3

戦争以外の危ない話
――7000基の人工衛星から降り注ぐ電磁波と
ヒトの送電媒体化！

Part 4

UFO関連情報
――国防総省、FBIはエーテル性の惑星（異次元）よりの飛来であると認めていた！

Part 5
近未来に関する情報
――ドイツ、EU全体を崩壊させるためのロシア制裁、その首謀者はアメリカ!

カバーデザイン　櫻井 浩（⑥Design）
校正　麦秋アートセンター
本文仮名書体　文麗仮名（キャップス）

Part 1

コロナに関する危ない話

――日本のコロナ死者数は世界断トツで増加中！

パンデミック以来最大の危機が迫る中、「日本のコロナ死と小児の重症化」に関するショッキングなデータ

投稿日：２０２２年12月31日

なぜ子どもがこんなことになっているのか

まず、今日知った「日本の資料」をいくつかご紹介したいと思います。

ひとつは、日本集中治療医学会と小児集中治療委員会による「子どものコロナでの重症化（集中治療室等への入室）状況について」の資料です。

新型コロナウイルス関連小児重症・中等症例発生状況速報

https://www.jsicm.org/news/upload/221201JSICM_jscts.pdf

「子どもの重症化についてのデータ」

第7波と、現在の第8波についてのデータですが、発表日が12月1日と、今から1か月くらい前のもので、つまり「まだ感染拡大も死亡者拡大も現在ほどには起きていなかった頃」ですので、今は状況がさらに悪化している可能性があります。

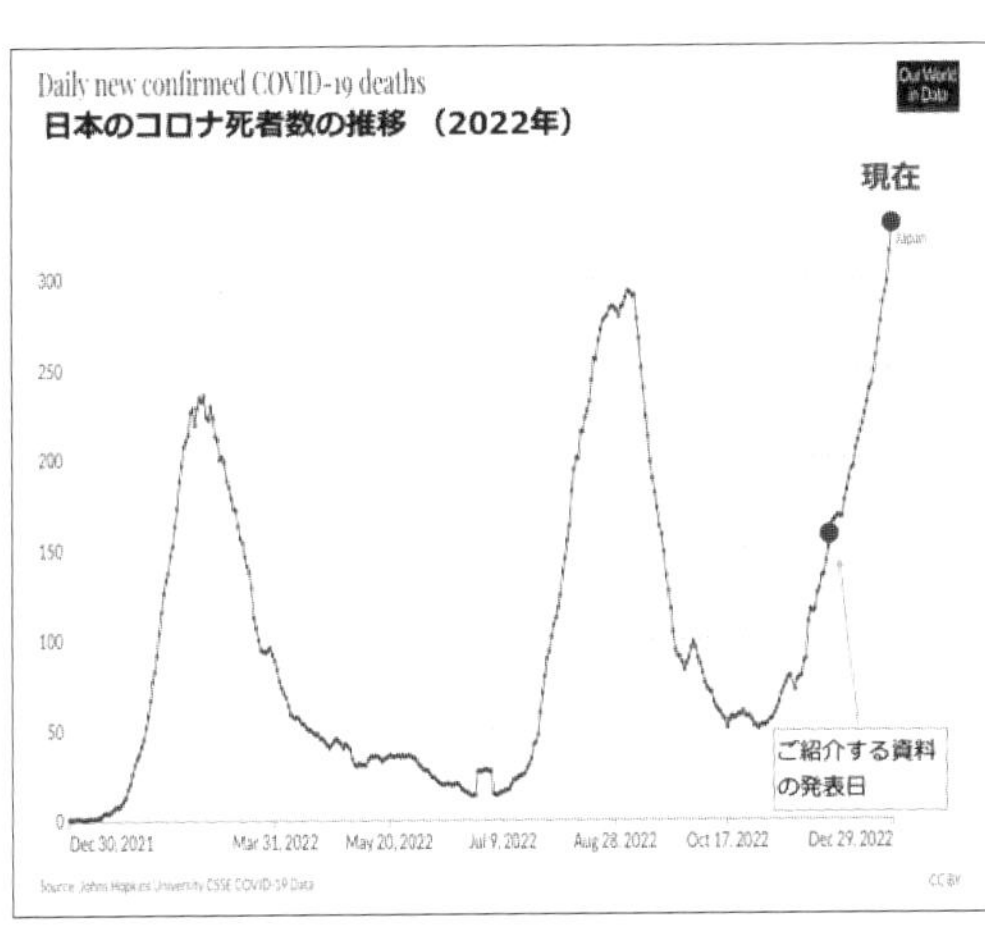

ourworldindata.org

左の図は「2022年の日本のコロナ死者数の推移」（7日移動平均）です。

この12月1日時点までの「日本のコロナによる小児の集中治療室への入室の状況」のデータから、「年齢層の分布」を見てみます。

多い順に以下のようになります。

・未就学児　50・6％
・小学生　25・7％
・1歳未満の乳児　12・3％
・中学生　5・7％

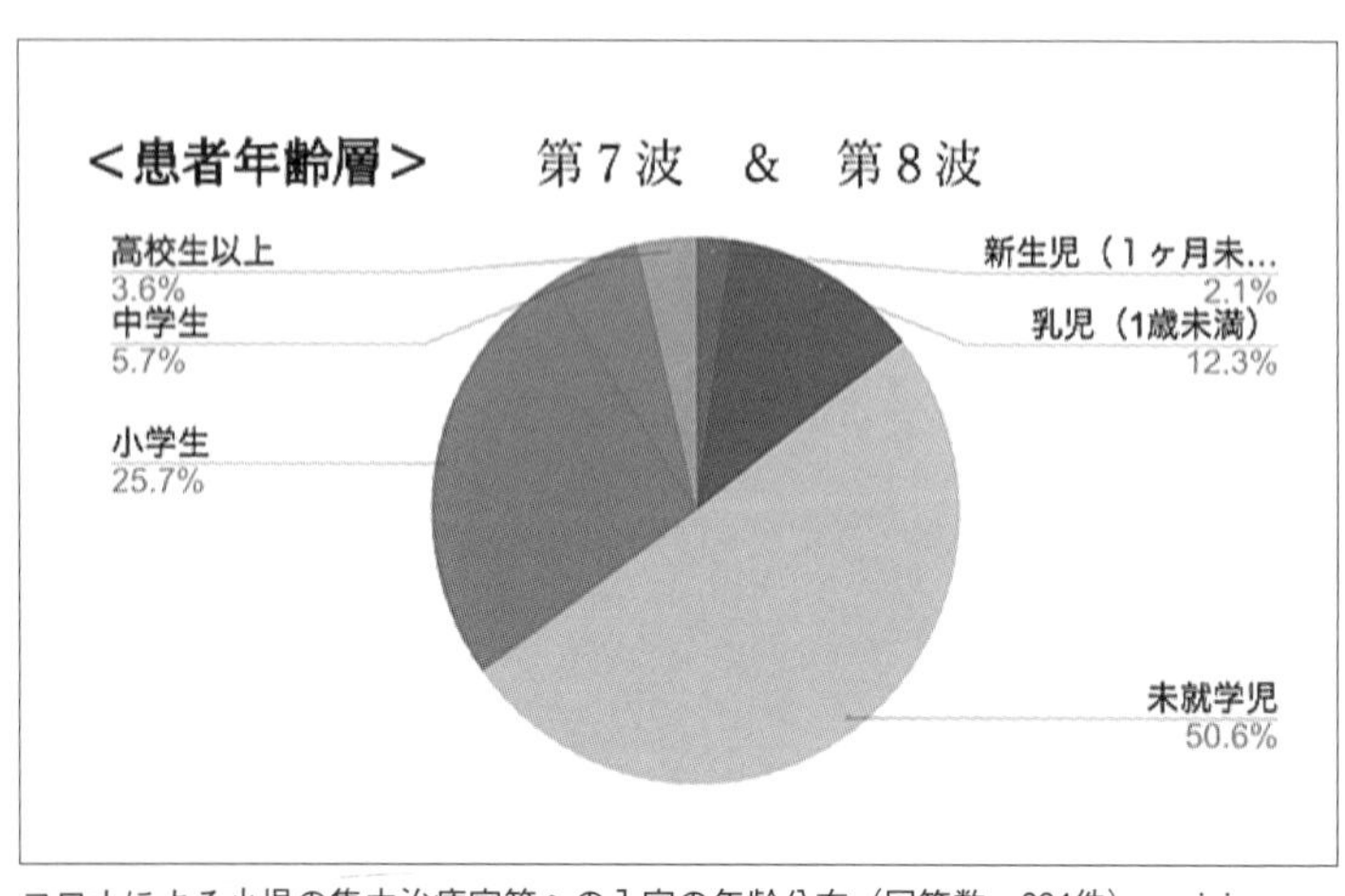

コロナによる小児の集中治療室等への入室の年齢分布（回答数　334件）　jsicm.org

・高校生以上　３・６％
・１か月未満の新生児　２・１％

半数が未就学児で、赤ちゃんを入れますと、集中治療室等で治療を受けている65％ほどが６歳未満です。

また、入室理由は多い順から以下のようになっています。

・けいれん　24・９％
・肺炎　19・８％
・急性脳症　16・８％
・心停止　４・８％
・気管支ぜんそく　４・８％
・在宅人工呼吸管理症例のＣＯＶＩＤ……４・５％

・ＭＩＳ－Ｃ　３・０％
・細気管支炎　１・８％
・クループ（気管と喉頭の炎症）　１・８％
・心筋炎／心不全　０・９％
その他　17・１％
(jsicm.org)

本来、コロナという病気は、子どもの症状がきわめて軽いか、大半で無症状のものでした。たとえば、２０２０年のドイツの５歳から17歳の子ども全人口の児童に対する調査では、
「基礎疾患を持たない子どものコロナ死はゼロだった」
ことが示されていました。

［記事］ドイツの調査で、基礎疾患のない５歳から17歳の子どもたちの新型コロナでの死亡数は「完全なゼロ」であることが判明……
In Deep ２０２１年12月11日

このように、コロナは、もともと子どもは重症化しない病気でした。

なぜ、こんなことになってしまったのか。

これを「変異種」を原因とする見方も海外にはありますが、しかし、この1年の世界の子どもたちの状態、つまり、子どもの肝炎が増えたり、二重感染、三重感染という、「ウイルスの干渉の原則」からは考えられないような事態が起きたり……といったことから考えますと、子どものコロナの重症例が増えた原因は、変異種が主因ではないと見られます。


（関連するIn Deep過去記事）
・世界中に広がる子どもの免疫消失：オーストラリアでもコロナ、インフルエンザ、RSウイルスの3種のウイルスに「重複感染」して入院する赤ちゃんが急増
In Deep 2022年7月2日
・超過死亡率データを見て思う、緩慢に進む子どもたちのジェノサイド
In Deep 2022年8月25日
・コロナ重症化のメインが小さな子どもの世代に移行している。これ以上の大量死を避ける方法は「接種を拒否すること」のみ（子どももそのお母さんも）

In Deep　2022年10月3日

6歳未満の子どもたちに「影響」が拡大する理由については、以下の記事などに書かせていただいています。

［記事］コロナワクチン後天性免疫不全症候群（VAIDSとも）への警告に関する論文からも、ストレートな曝露（ばくろ）を受けた小さな子どもたちへの懸念がさらに

In Deep　2022年5月4日

日本のワクチン接種状況のページには、

「オミクロン株対応ワクチン接種完了者：4338万4734人」

とあり、12月26日の時点で、4300万人あまりの日本人が、この新しい製剤のファイザー社ワクチンを打っています。

なお、「それがどのようにワクチン未接種の小さな子どもたちに曝露していくか」とい

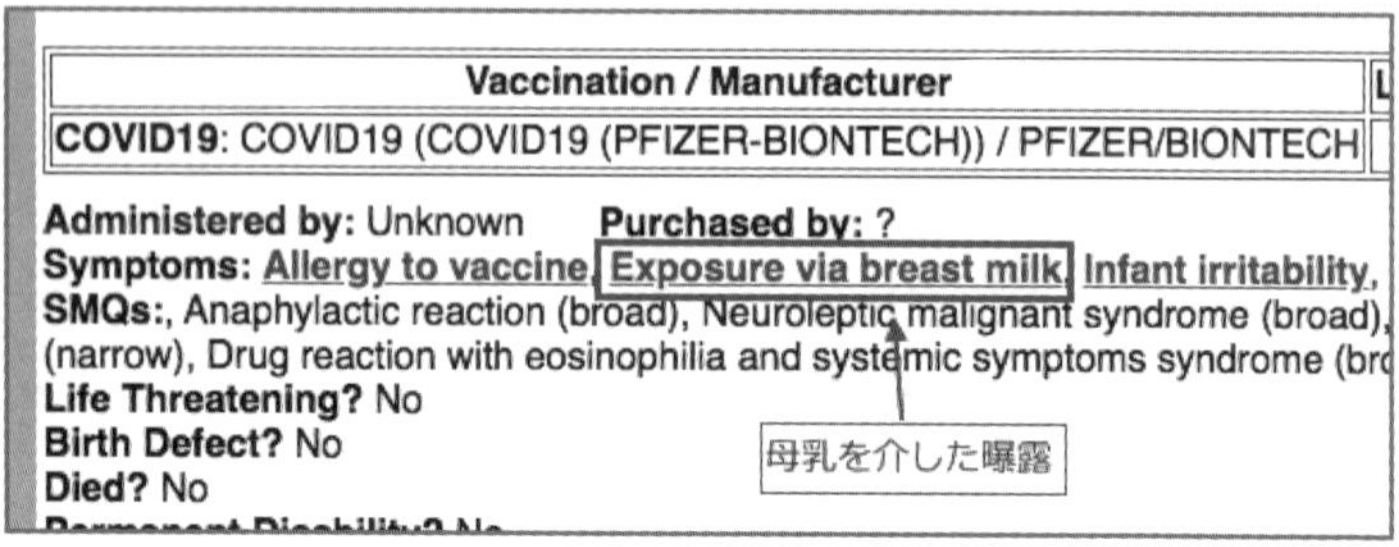

Vaccination / Manufacturer
COVID19: COVID19 (COVID19 (PFIZER-BIONTECH)) / PFIZER/BIONTECH

Administered by: Unknown Purchased by: ?
Symptoms: Allergy to vaccine, Exposure via breast milk, Infant irritability,
SMQs:, Anaphylactic reaction (broad), Neuroleptic malignant syndrome (broad),
(narrow), Drug reaction with eosinophilia and systemic symptoms syndrome (bro
Life Threatening? No
Birth Defect? No
Died? No

母乳を介した曝露

VAERS ID：921052

うことについては、ファイザー社の臨床試験計画書などをご紹介している以下の記事などにありますので、ご参照いただければ幸いです。

・授乳中のお母さんたちへ
In Deep 2021年9月4日

米国CDCのワクチン有害事象報告には、「母乳を介した曝露」という症状のカテゴリーが明確にあります。こちらの記事の中段などにあります（上参照）。

あるいは、胎児とお母さんの血液の関係を書いた以下などで取りあげていますので、ご参照いただければ幸いです。

・赤ちゃんよ永遠に……かつて処刑ドームと呼ばれたものは今は……
In Deep 2021年12月18日

サイエンスの研究などでは、「強い免疫抑制」が見られてくるのが、数十日後、あるいは研究では、最大200日以上後などに、それが見られていますので、場合によっては、

「接種後1年近く経ってから免疫抑制があらわれる」

ことも考えられないことではないです。

接種したお母さんご本人も、そして、その小さなお子さんも、です。

お子さんにどう伝わるかについては先にリンクしました過去記事などをご参照下さい。

何をどうやっても伝播（でんぱ）していくのです。

お母さんと子どもは文字通り一体ですから。

あとですね。

厚生労働省の資料なのですが、やや驚いたものを見ました。

第7波、つまり今年の夏に流行したコロナの「死亡事例」についての資料です。

重症化を経ることなく「突然死亡する」

資料は以下にあります。

【概要】新型コロナ患者の自宅での死亡事例に関する自治体からの報告について 001021500.pdf (mhlw.go.jp)

厚生労働省　２０２２／12／07

これは、

令和４年７月１日から８月31日までの間に自宅で死亡された以下の新型コロナウイルス感染症患者について、令和４年10月に都道府県を通じて、その年齢、基礎疾患、同居の有無、ワクチン接種歴、死亡に至るまでの経過等の調査を実施

と書かれてある資料で、７７６名のコロナ死亡者の方々についての内訳です。

死亡した年齢層は、やはり圧倒的に高齢者が多いのですが、先ほどの日本集中治療医学会の資料が示すように、現在は、その年齢層に若干ではあっても、変化が出ているかもしれません。

死亡者の年齢構成と基礎疾患の有無は左上のグラフのようになります。

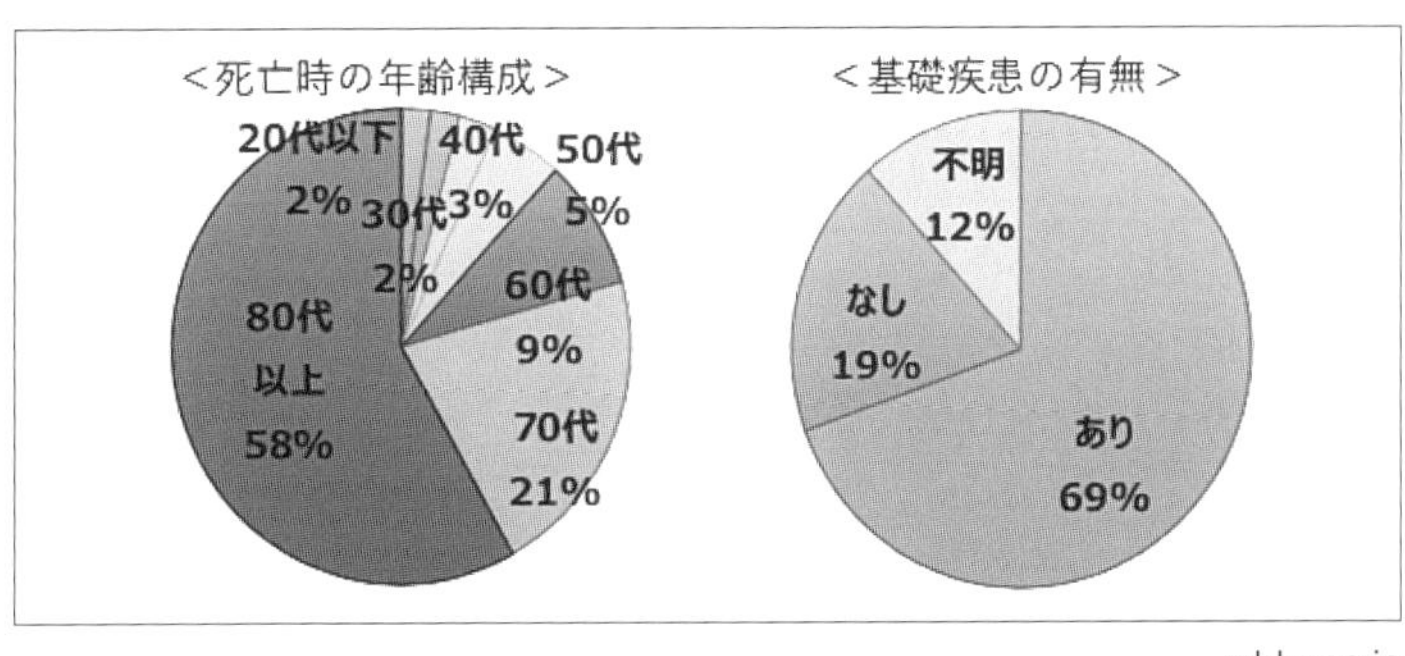

mhlw.go.jp

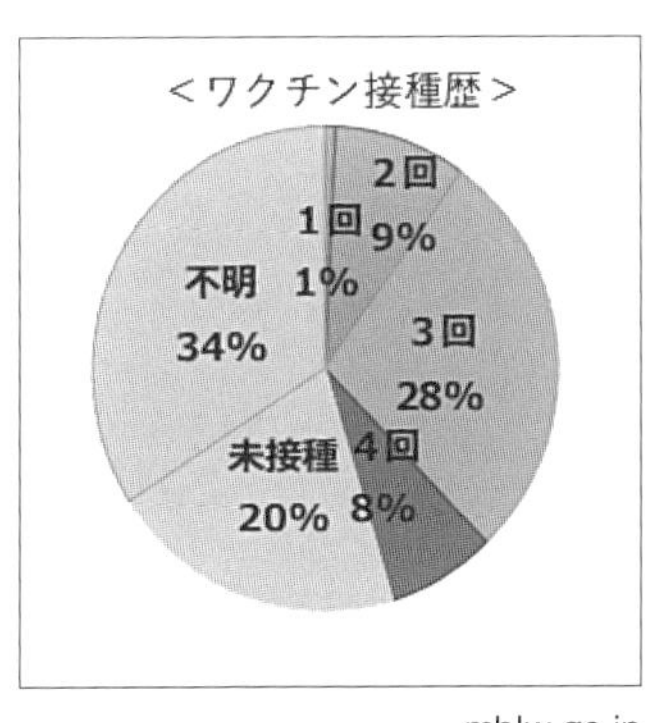

mhlw.go.jp

ワクチン接種状況は左下のグラフの通りになりますが、「不明」が最も多く、あまり参考にはなりません。

ただ、未接種者より、2回接種者のほうが死亡事例が少ないというのは注目に値します（0・5％に関する参考記事：「願望の実現」In Deep　2022年1月9日）。

ここまでは基本的な死者の概要なのですが、その下にある文章が注目されるべきものです。

文言は資料そのものですが、太字はこちらでしています。

（厚生労働省の資料より）

死亡直前の診断時の症状の

程度については、**軽症・無症状が41・4％、**中等症が13・1％、**重症が7・1％、**不明又は死亡後の診断が38・4％

おわかりでしょうか。

・軽症・無症状が41・4％
・重症が7・1％

とここにはあるのです。

亡くなっているのは、圧倒的に「重症者以外」なのです。

その下に「新型コロナ患者の自宅での死亡事例に関する自治体からの報告」という項目があり、そこからいくつか抜粋します。


（厚生労働省の資料より）【具体的な死亡事例について】
・家族や親族等に自宅で倒れているところを発見されるケースがあった。
・浴槽で意識がなくなっているところを同居家族に発見されるケースがあった。

・発熱がなく、毎日訪問介護を受けていたが、死亡したケースがあった。

(mhlw.go.jp)

お風呂に入っていたということは、ほとんど症状がなかったということなんでしょうが、ただ、以下のような項目もあり、実際には、「死因がコロナという根拠が、検査での陽性のみ」という可能性も高そうです。

(厚生労働省の資料より)【具体的な死亡事例について】

・救急搬送の搬入時の検査で陽性が判明するケースがあった。

・コロナ以外の要因で死亡し、死後に陽性が判明するケースがあった。

(mhlw.go.jp)

多くの方が、あるいは報道などでも、コロナで死亡にいたる状況について、「重症化して、どんどん状態が悪化して亡くなる」ということを想定していらっしゃると思われますが、

・重症が7・1％

という数値からは、実際には、

「重症化して死亡する事例は全体のほんの一部」

であることがわかります。

さて……。

しかしですね。今現在どんなことが起きている「かもしれない」かというと、この今年の夏の第7波のこの資料にある死亡事例は、

「776名」

と書かれてあります。

では、現在の第8波はどうなっているかというと、

「3カ月で1万1800人などが亡くなっている」

のです。

第7波の十数倍です。

これは、12月30日の毎日新聞で報じられていたものです。

（報道）コロナ死者数が急増、直近3カ月前年の16倍　70歳以上が9割

毎日新聞　2022／12／30

報道は以下のように伝えています。

「1年前とは桁違いに多い死者数」

・厚生労働省の公表資料を基に、まずは直近1週間の1日ごとの死者数を比較した。2021年12月は、23日3人▽24日0人▽25日1人▽26日0人▽27日0人▽28日2人▽29日4人——で計10人だった。

・一方、22年12月は、23日315人▽24日339人▽25日306人▽26日217人▽27日271人▽28日415人▽29日420人——で計2283人。単に1週間の死者数を比較したに過ぎないが、それでも22年は桁違いに多いことが分かる。

・比較する期間を直近3カ月（10月1日〜12月29日）に広げてみると、21年が744人だったのに対し、22年は1万1853人。なんと15・9倍にもなっていた。（毎日新聞）

昨年と同期間の死亡数の比較で以下のようになっているのでした。

２０２１年と２０２２年の同時期の死亡数の比較
・２０２１年の同時期　７４４人
・２０２２年（現在の流行波）　１万１８５３人

昨年の流行波と、現在の流行波で同じような症状の傾向を示しているかどうかは明確ではないですが、多少でも似ているとした場合、
「１万人以上が軽症か無症状で亡くなっている」
ことになり得ます。

先ほどの厚生労働省の「死亡者における重症者が全体の７％程度」という数字を当てはめますと、１万８０００人あたりのうち、重症化して亡くなったのは、８００人程度だという推測も成り立つのかもしれません。

これは難しいですね。

どのような状態の方が亡くなるか重症度からはわからないために、重症者のほうから先に救うという前提が消えてしまうと、どのような患者を特に注視していいのだかわからなくなります。

そして、前回の記事でも書きましたが、この中で、「1月8日から、新しいコロナが中国から大量にやってくる」のです。

［記事］［重要］中国保健当局の調査で四川省のコロナ感染率は63％……。日本人の大多数が感染増強抗体を持っている中でこんなものが国に入ってきたら……

In Deep　2022年12月29日

この、中国で現在流行しているコロナウイルス株については、いろいろな「数に関する報道」が出ていますが、しかし、中国当局は「コロナの症例数と死亡数の毎日の数値を今後公表しない」と12月25日に発表していますので、西側の推測以外は正確なところはわかりません。

それでも、四川省の調査などの数値は、一種壊滅的な感染力を示しているとも言えまして、非常に懸念されます。

おそらくは、現在、

「パンデミック以来最大の危機に世界は直面している」

と思います。

コロナワクチンの最大の問題点がようやくわかってきた

投稿日：2023年1月4日

免疫抑制の本質

ワクチン接種キャンペーンが始まって、日本でもそろそろ2年近くとなろうとしています。まあ……早いものですね。

その間、日本はついにブースター接種率で世界一という記録を更新し続けている（現在、

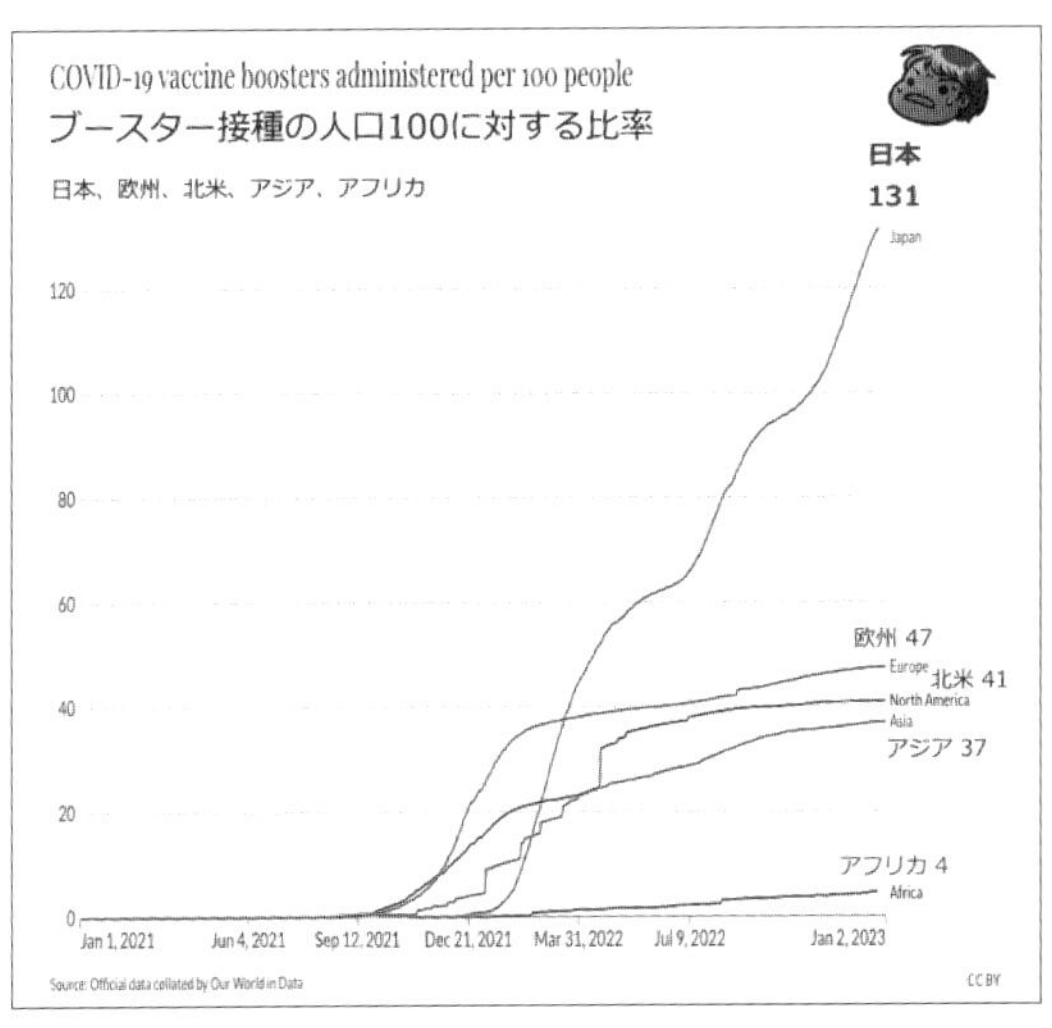

ourworldindata.org

約131％）ということになっています（左のグラフ）。

ブースター接種率の比較は、もはや日本に追随できる国はなくなっているというのが現状で、大陸同士との比較ではグラフのように差がついています。

1年近く前から、ヨーロッパや北米では累積の曲線が平行に近いことを示していまして、つまり「その頃から、すでにブースターを打っている人は、欧米にはほとんどいなかった」ことを示しています。

その後も著しいグラフの上昇を示しているのは、この中では日本だけです。

それはまあいいとして、最近、ＩｇＧと

いう抗体などに絡んだ「免疫抑制」について、何度か記事で記していました。以下の記事の中盤にあります。

［記事］パンデミック以来最大の危機が迫る中、「日本のコロナ死と小児の重症化」に関するショッキングなデータの内容を知る

In Deep　2022年12月31日

それでまあ……今回のタイトルでは「最大の問題点」という表現を使っていますが、これが今となって明確になってきたのかなと思ったのです。

これまでの2年ほどの私は、「ワクチンそのものの害と影響」について囚われすぎていたような感じがありまして、つまり、副作用とか後遺症とかですが、もっと全体的に、そして相対的に考える余裕がなかったのかもしれません。

このワクチンの「最大の問題点」とは、

「コロナにかかりやすくなる」

この一点です。

先日、米メリーランド大学の論文を知りまして、新型コロナウイルスの自然感染についての話ですが、

「後の統合失調症と関係する」

ということと、「母親の感染は、その子どもの統合失調症に受け継がれる可能性」についてのものでした。以下に概要のみ翻訳しています。

（論文）「ヒトコロナウイルスは精神病性障害に関連している」という論文（２０２３／01／03）

論文の概要には以下のように書かれています。

（論文より）

・いくつかのヒトコロナウイルスは精神病性障害に関連しており、ＣＯＶＩＤ－19の神経精神症状の報告が増えていることから、他のヒトコロナウイルスと同様の神経侵襲特性があることが示唆されています。

・これらの特性は、大規模な炎症反応を生成する能力と併せて、ＣＯＶＩＤ－19が将来の

精神病理学にも寄与する可能性があることを示唆しています。
・この論文では、精神病性障害の発症に寄与する可能性のあるCOVID－19の神経侵襲性および炎症性について、子宮内、新生児、および小児期の曝露に焦点を当てて説明します。(sciencedirect.com)

2020年頃には、「新型コロナウイルス感染症（自然感染）が、どれほど広範囲に長期間の身体への影響を残すか」について、よく書いていました。

このウイルスは、そのHIV的な性質を含めて「普通のウイルスではない」ということを日々知っていきました。

よく「単なる風邪」とか言われることがありますが、それは症状の面だけであり、本質はまるで違う。コロナウイルスのスパイクタンパク質が、身体や精神に長い期間及ぼす影響は、HIVと並べて語ることのできるものであることも日々知りました。

その影響の時間的スパンは、数年、十数年後に出てくるようなものである可能性があります。

つまり、

「こういうものには、できるなら感染・発症しないほうがいい」
ということです。

どんな感染症でも、完全に感染や発症を防ぐ方法があるウイルスは存在しませんが、しかし「なるべく自分や家族の身体を防御するために努力をすることは悪いことではない」とも思っていました。

ま、積極的に緑茶を飲んだり、海藻を食べたり、とかですかね。

私個人の話でいえば、「手を消毒しない」とか（私は、この3年間、単なる石鹸も含めて、あらゆる消毒剤を使っていません）。身体のあらゆる常在菌がどれだけウイルスから人間を守ってくれているのか、あるいは過剰な衛生がどれだけ人を不健康にするかを知ったのも、この3年間のことでした。故藤田紘一郎さんの常在菌の理論には救われました。

あと、マスクを着用しない、というのは、副鼻腔の一酸化窒素の恩恵を得るためにも、感染症予防の正道中の正道です。これに勝る感染症予防法はないほどです。

しかし……結局、感染症でなくとも、どんな病気に対しても、
「免疫を高めることほど優れた予防法はない」

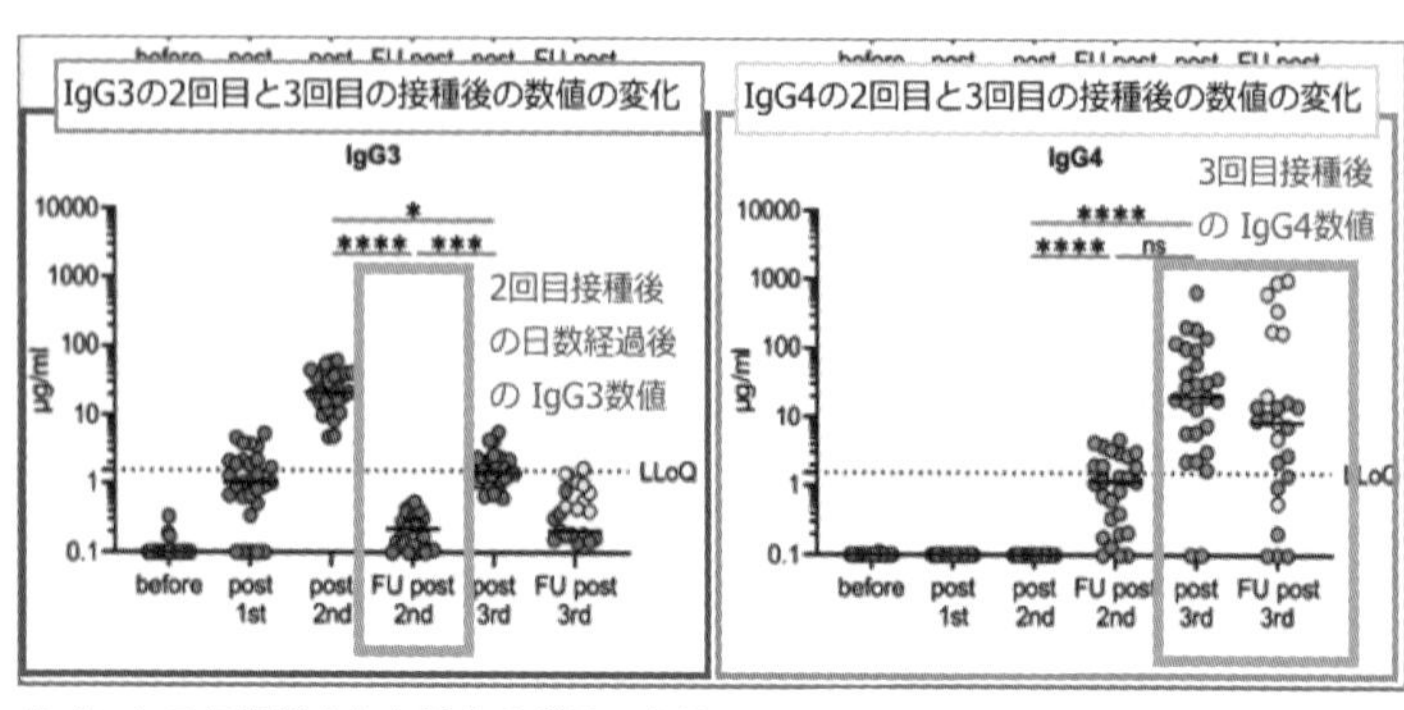

サイエンスに掲載された論文のグラフより　science.org

ことは、異論を差し挟む余地がないと思われます。風邪でもガンでも何でもです。

ところが、その後に登場したコロナワクチンには、「非常に多岐にわたる免疫抑制作用がある」ことが日に日にわかってきたわけです。

つまり、「どう考えても、打つほどにかかりやすくなる」という懸念が生じてきたわけです。先ほどの記事のＩｇＧ３とＩｇＧ４というものについてもそうです。

さらに、以下の記事の後半では、「抗原原罪」という概念にもふれています。

［記事］これは、２０２０年のプロパガンダ武漢コロナとはまったく異なるのだから

In Deep　2023年1月2日

これまで日本では、最大5回の接種が行われてきましたが、この秋からの二価ワクチンといわれるものには、オミクロン株対応の抗体と共に、武漢株対応の抗体も含まれているため、最大数を接種された方々は、結果として、

武漢株、武漢株、武漢株、武漢株、武漢株

という「同一抗原の連続投与」という状態となっています。

同一抗原の連続接種の問題については、以下の記事で取りあげました東京理科大学名誉教授の村上康文（むらかみやすふみ）さんの「ご自身のマウスの実験で起きたこと」の話なども参考になります。

［記事］「6回目ぐらいで全部死んでしまう」：村上康文　東京理科大学名誉教授の言葉から見えるブースターによる、すぐそこにある終末

In Deep　2021年12月29日

話を免疫に戻します。

このワクチンで発生する、「最大の免疫上の問題」を、昨年10月に、スウェーデンの研究者たちが発見しています。

Ｖ（Ｄ）Ｊ組換えの阻害

大変に難しい概念ですが、以下の記事にあります。

［記事］免疫を失うメカニズムがまたひとつ：スウェーデンの研究が、スパイクタンパク質はＶ（Ｄ）Ｊ組換えと呼ばれる「獲得免疫の根本システムを阻害」することを示す。自然感染、ワクチン共に
In Deep ２０２１年11月1日

人間はこの「Ｖ（Ｄ）Ｊ組換え」というシステムを持っているからこそ、「多くのウイルスやカビや病原体と共に生きていられる」のです。

このＶ（Ｄ）Ｊ組換えについて、もっともわかりやすく説明してくださっていたのは、ミラノ分子腫瘍研究所の研究員である荒川央（あらかわひろし）さんのｎｏｔｅの昨年10月の記事です。

以下のように記されていました。

ｎｏｔｅ「自己免疫疾患とワクチン」より抜粋

荒川央　2021/10/18

抗体の遺伝子はV、D、Jの3つの断片に分かれており、それぞれの断片ごとに多くの種類があります。これらの3つの断片が遺伝子組換えをする事により抗体遺伝子が完成します（V（D）J組換え）。

これはいわゆる人工的な遺伝子組換えではなく、脊椎動物にもともと備わっている機能です。

また抗体は軽鎖、重鎖の2つのタンパクでできており、V（D）J組換えは軽鎖、重鎖の両方で起こります。V、D、Jの組み合わせのバリエーションは膨大で、それだけで1億種類を超えますし、各自が百万種類以上もの抗体を持っています。これが抗体が多様である理由です。（note）

ここにありますように、この「V、D、Jの組み合わせ」だけで、1億種類を超えるバリエーションとなり、また「各自が百万種類以上もの抗体を持っている」ということで、

このV、D、Jという抗体の遺伝子の「自発的な組換え」により、「人間は、無数に近い病原体に対応できる免疫を持っている」のです。

もともと持っている、のです。
それを阻害するものがあるとすれば何か。先ほどのスウェーデンの研究には以下のようにあります。

（2021年11月の論文を解説した医学報道より）
・SARS－CoV－2のスパイクタンパク質は、感染したヒト宿主の細胞におけるDNA修復を損ない、そして、V（D）J組換えを阻害することがわかった。
・研究室での細胞株を使用してのこの研究は、SARS－CoV－2スパイクタンパク質が適応免疫におけるV（D）J組換えに必要なDNA損傷修復を有意に阻害することを報告した。
・この研究結果では、SARS－CoV－2が、胸腺細胞あるいは骨髄リンパ球に感染する可能性がある証拠は示されていないが、スパイクタンパク質がV（D）J組換えを強く阻害したことを示す。(ncbi.nlm.nih.gov)

……って、ああああああ！
久しぶりにこの論文のページに行きましたら……この論文、撤回されとる！

ウイルス。2021年10月; 13(10): 2056.　　PMCID : PMC8538446
オンライン公開 2021 年 10 月 13 日。 doi: 10.3390/v13102056　　PMID: 34696485

この記事は撤回されました。
後退:ウイルス。2022 年 5 月 10 日: 14(5):1011　参照: PMC 撤回ポリシー

SARS–CoV–2 スパイクは DNA 損傷修復を損ない、in vitro で V(D)J 組換えを阻害する

Hui Jiang[1,2,*] and Ya-Fang Mei[2,*]

Oliver Schildgen, Academic Editor

▸著者情報 ▸記事に関する注意事項 ▸著作権およびライセンス情報　免責事項

この記事には懸念の表明が掲載されています。 ウイルスを参照してください。2021 年 12 月 22 日。14(1): 12 .
この記事は撤回されました。 ウイルスを参照してください。2022 年 5 月 10 日: 14(5): 1011 .

スウェーデンの論文があったページを日本語化　ncbi.nlm.nih.gov

　上は、その論文があったアメリカ国立衛生研究所のページを日本語化したものです。

　撤回されたとはいえ、論文そのものは残っていますので、お詳しい方々において、どこに問題があるのか検討していただければ幸いですが、この3年間において、このような、

「論文が撤回される」

　というのは結構ありましたね。

　こういう「論文の撤回」に最初に遭遇したのは、今からほぼ3年前に、インド工科大学の科学者たちが、

「新型コロナウイルスにＨＩＶのタンパク質が挿入している」

　ことを論文で発表したことがありましたが、

「後に本人たちにより撤回された」ことがあり

ました。以下の記事に経緯を書いています。

［記事］インドの科学者たちが発表した「新型コロナウイルスの中に存在するＨＩＶ要素」を中国やフランスの科学者たちも発見。それにより、このウイルスは「ＳＡＲＳの最大１０００倍の感染力を持つ可能性がある」と発表

In Deep ２０２０年2月27日

自然の変異では、「絶対に」ＨＩＶの要素が、しかも複数入りこむことはないです。

その後、右の記事でも取りあげましたように、中国やフランスの科学者たちもそれを発見しました。

ちなみに、２０２２年になって、このインドの科学者たちに「撤回を要求した人物」について判明してきまして、

「米国立アレルギー感染症研究所のファウチ所長の要請だった」ことが判明しています。

ファウチ氏の電子メールが流出したのです。

以下の記事に経緯を載せています。

［記事］スイスのディープステート糾弾デモ等から知るインド工科大学の「新型コロナウイルスに含まれるＨＩＶ要素の論文」を圧力で「自主撤回」させた人の名
In Deep　２０２２年8月8日

ああ、また話が逸(そ)れてきました。

免疫抑制の話に戻ります。

コロナにかかりやすくなることが証明された最近の論文

12月に、アメリカの医学者たちによる論文が発表されました。

オハイオ州のクリーブランド・クリニックという大病院において、

「二価ワクチンを含めた、コロナ感染予防効果の調査」

の結果が発表されたのです。

このクリーブランド・クリニックという病院の医療スタッフの数は、５万１０１１人にのぼりますので、小さな調査とは言えません。以下に論文があります。

（論文）コロナウイルス感染症（ＣＯＶＩＤ－19）二価ワクチンの有効性

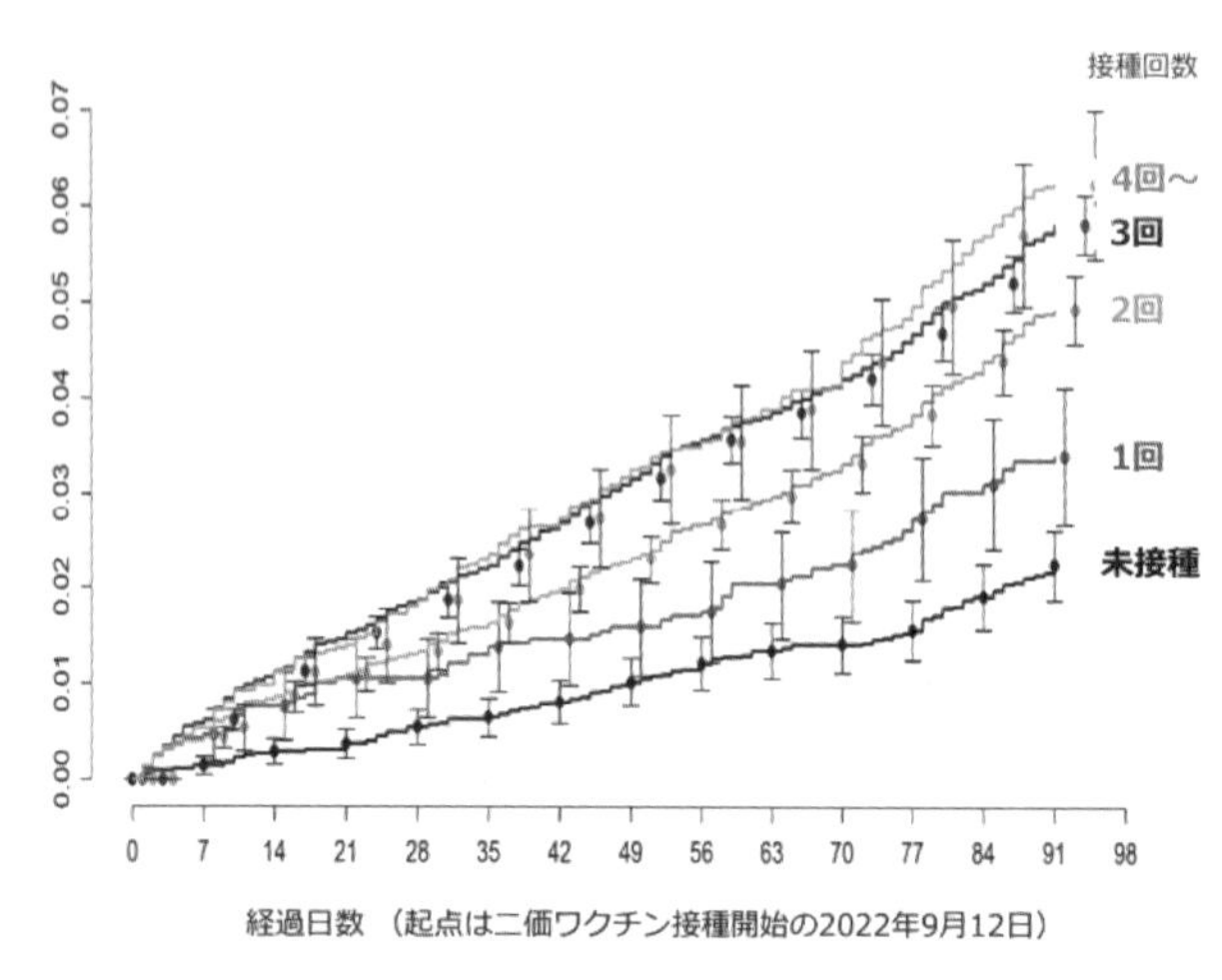

ワクチンの投与回数によって層別化された被験者のCOVID-19感染の累積発生率の比較
medrxiv.org

Effectiveness of the Coronavirus Disease 2019（COVID-19）Bivalent Vaccine

この論文にあるグラフがすべてを物語っている気がしました。

上がそのグラフです。91日目までということで、約3か月の推移です。

もちろん、「すべての接種回数の人たちで感染が発生している」ことも示されています。

それでも、累積数として、

「累積感染数が最も多かったのが、4回以上の接種」

となっており、

「累積感染数が最も少なかったのが、未接

種」であることが、明白に示されています。

3回接種と4回接種の差は、専門用語でいえば「目糞鼻糞」という感じで、差はあまり見られないですが、それでも、時間の経過と共に、4回接種が3回接種より累積数を伸ばしています。70日後くらいから差が出ています。

このようなことになってしまった理由として、やはり最初に書きました「免疫抑制の問題」が最も大きいと私自身は思います。

もちろん他の理由もあるかと思いますが、免疫抑制の問題が大きな問題となり得るという理由は、

「免疫が抑制されることで発症する疾患は、コロナだけではないから」

です。

というか、そこまでいきますと、コロナは小さなジャンルのひとつとなり、あらゆる疾患の増加についての懸念があります。

それでも、コロナのかかりやすさを問題視するのは、2021年からの接種キャンペー

ンは、

「コロナの感染拡大防止、という大義名分のもとで開始された」

ということからです。

その大義名分の結果が先ほどのグラフのようなことになってしまっている。

この免疫抑制が続く「期間」については、最近の記事（In Deep 2023年1月2日）で、IgG4という「その数値が上がることはあまり良くないかもしれない」抗体数値が、3回目接種後以降、非常に長期間にわたり数値が高いままであることや、中和抗体といえるIgG3という抗体の値も、時間の経過と共に下がっていることが示されていることから、免疫抑制は比較的長く続く可能性があります。

このような状態ですと、今後、中国から入ってくる「かもしれない」コロナに対して、日本では「ある程度の修羅場」が形成される可能性もあり得ます（日本では、です）。

少し前の記事の後半では、以下の要因により、今後のコロナ感染の状況が悪化する可能性について書きました。

・ＩｇＧ３が減少し、ＩｇＧ４が長期間増加すること
・同一抗原を４回、５回と打ったことによる抗原原罪メカニズムの発動

　そして、

・スパイクタンパク質によるＶ（Ｄ）Ｊ組換えの阻害（論文は撤回）

　ということも加えると、これらがすべて事実であるなら、今後はやや混沌（こんとん）とした社会になるかもしれません。

「数千万人が、かかりやすくなっている」

　という中で、中国のコロナが来ます（もう来ていますが）。

　今回のことが影響するようなことにはならないかもしれないですが、なるかもしれません。

　この分野において、理屈と理論ほど強い未来予知法はありません。

オーストラリアで、「超過死亡率の信じがたい増加」と「かつてないほどの疾患および認知症の増加」

投稿日：２０２２年12月19日

通常の十数倍の超過死亡率

consultancy.com.au

オーストラリア政府は、２０２１年中に全人口へのワクチン接種を目指していました。

アクチュアリーという言葉があり、Wikipedia によりますと、「ビジネスにおける将来のリスクや不確実性の分析、評価等を専門とする専門職」というものらしいですが、12月の初旬、オーストラリアのアクチュアリー協会が、オーストラリア政府に対して、「オーストラリアの２０２０年の超過死亡率の増加が異常すぎる」として、政府に調査をおこなうように要請したことが報じられています。

アクチュアリー協会のスポークスウーマンであるカレン・カッター（Karen Cutter）さんという方が、数々のグラフを提示していまして、今回はそれをご紹介したいと思います。
というのも、これはオーストラリアに限った話ではないかもしれないからです。

今回は特に原因にふれるつもりはないですが（カレン・カッターさんは「超過死亡の理由は明らかではない」と述べています）、同じような超過死亡は世界中で見られていて、それは日本も同じになるかもしれず、それだけに「傾向」や「時間軸」といったもののデータを知るのも悪いことではないかもしれないと思ったからです。

カッターさんのデータには、特に、2022年になってからの「疾患の拡大」の異常さがよくあらわれています。
オーストラリアの2022年の超過死亡率は、現在13％に達していますが、カレン・カッターさんは、以下のように述べています。

「13％の超過死亡率というのは信じられないほど高い数字であり、何がこのような増加を

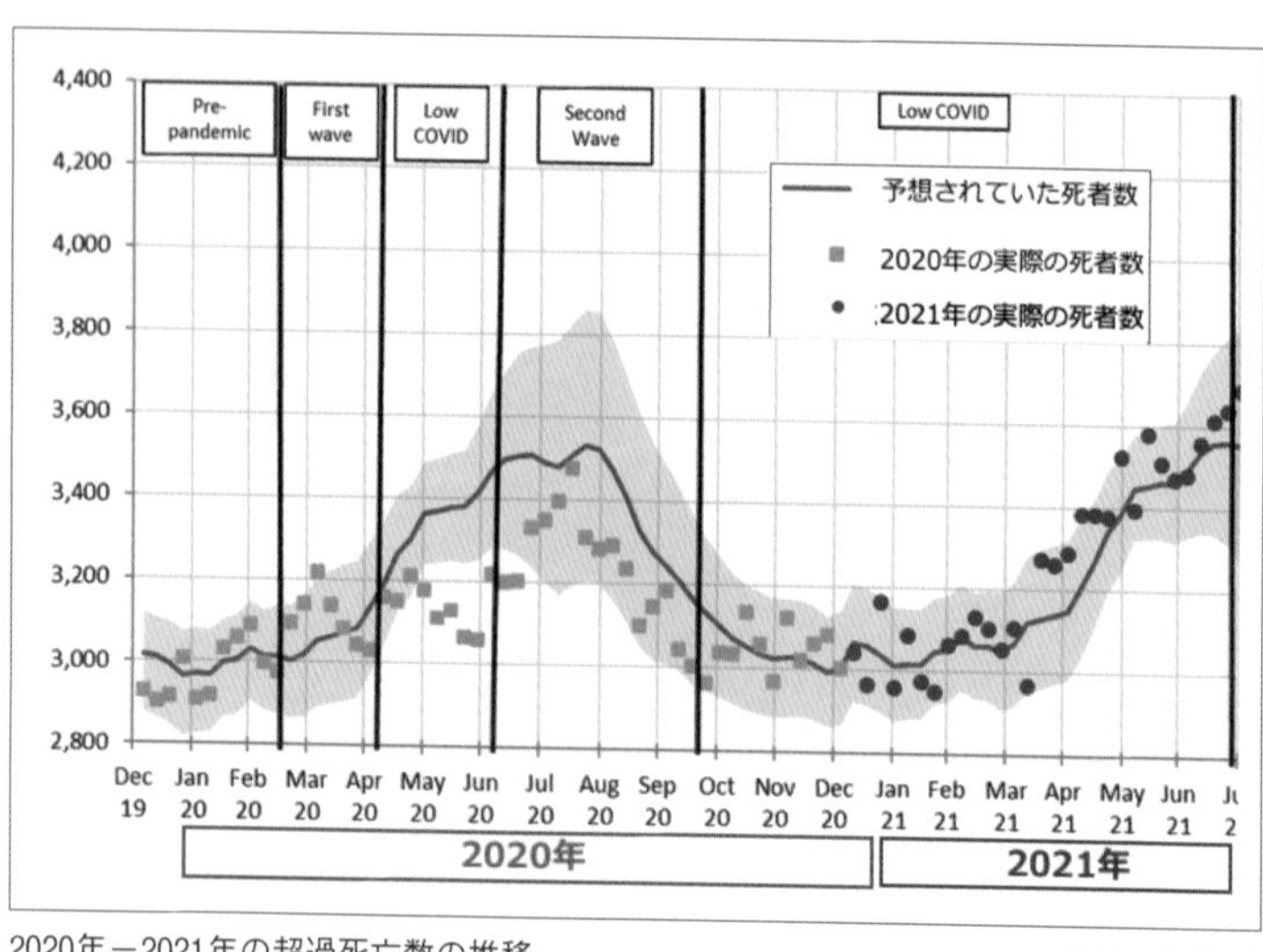

2020年－2021年の超過死亡数の推移

KarenCutter4

引き起こしているのかは明らかではないとしても、死亡率は通常1%から2%以上は変動しないため、この13%は通常のレベルよりも異様に高いのです」

オーストラリアでは、2022年の初め頃には、いっとき36%の超過死亡率が見られたこともありました。それについては、以下の記事でグラフ等取りあげています。

[記事] オーストラリアで「原因不明」の異常な超過死亡率の増加が公式に発表される

地球の記録 2022年9月20日

ここから、オーストラリア・アクチュア

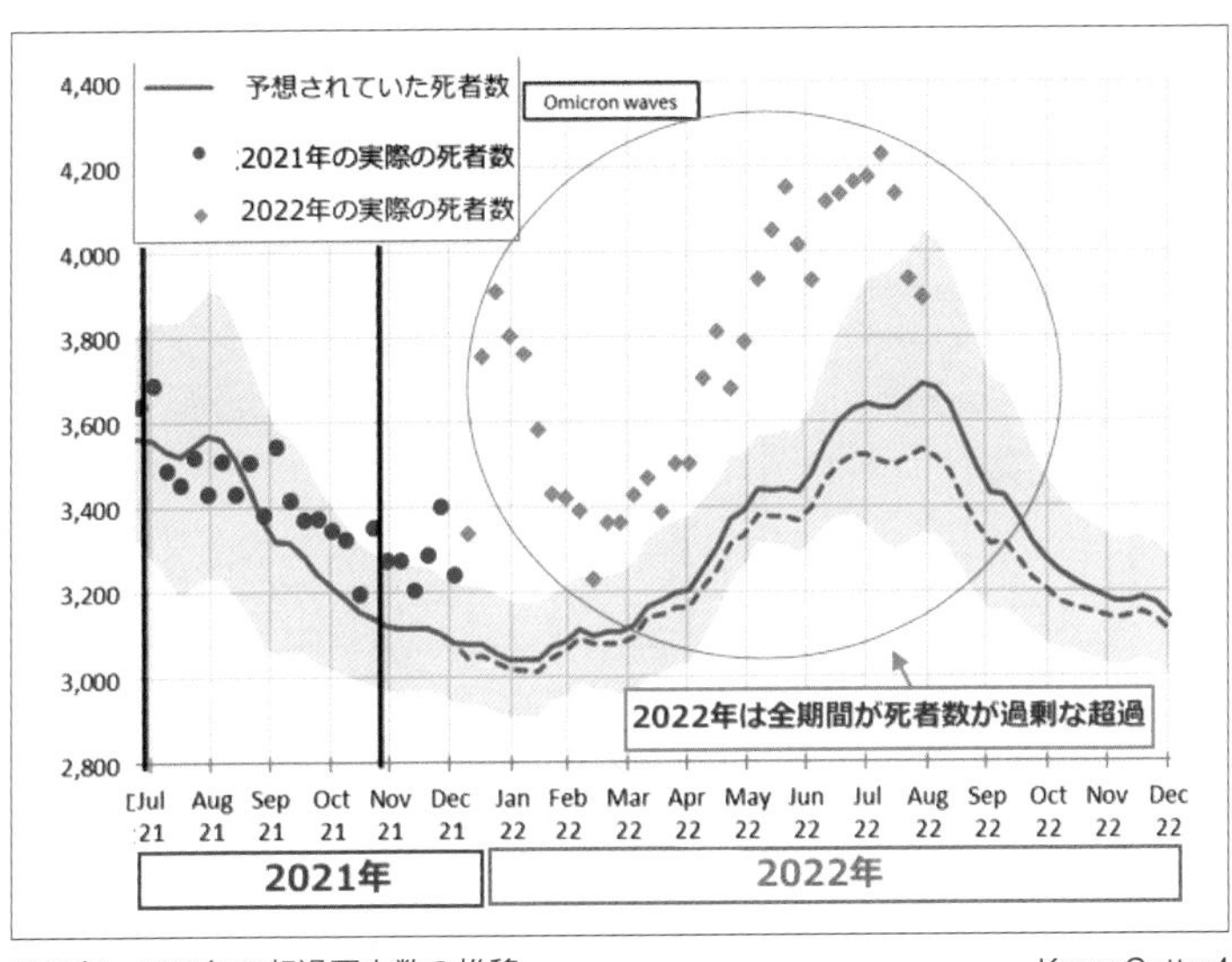

2021年－2022年の超過死亡数の推移　KarenCutter4

リー協会のカレン・カッターさんの提示したグラフからいくつかをご紹介します。

２０２０年から２０２２年のオーストラリアの超過死亡と疾患の状況

まず、超過死亡率の推移です。

横に長いグラフですので、「２０２０年－２０２１年」と「２０２１年－２０２２年」の２つにわけました。

最初は、２０２０年から２０２１年の超過死亡数の推移です。

青い太線が「死亡数の予測」で、薄い青の領域は、予想の幅を示します。

この薄い青の領域の下なら、予想より死者数は少なかったということになり、

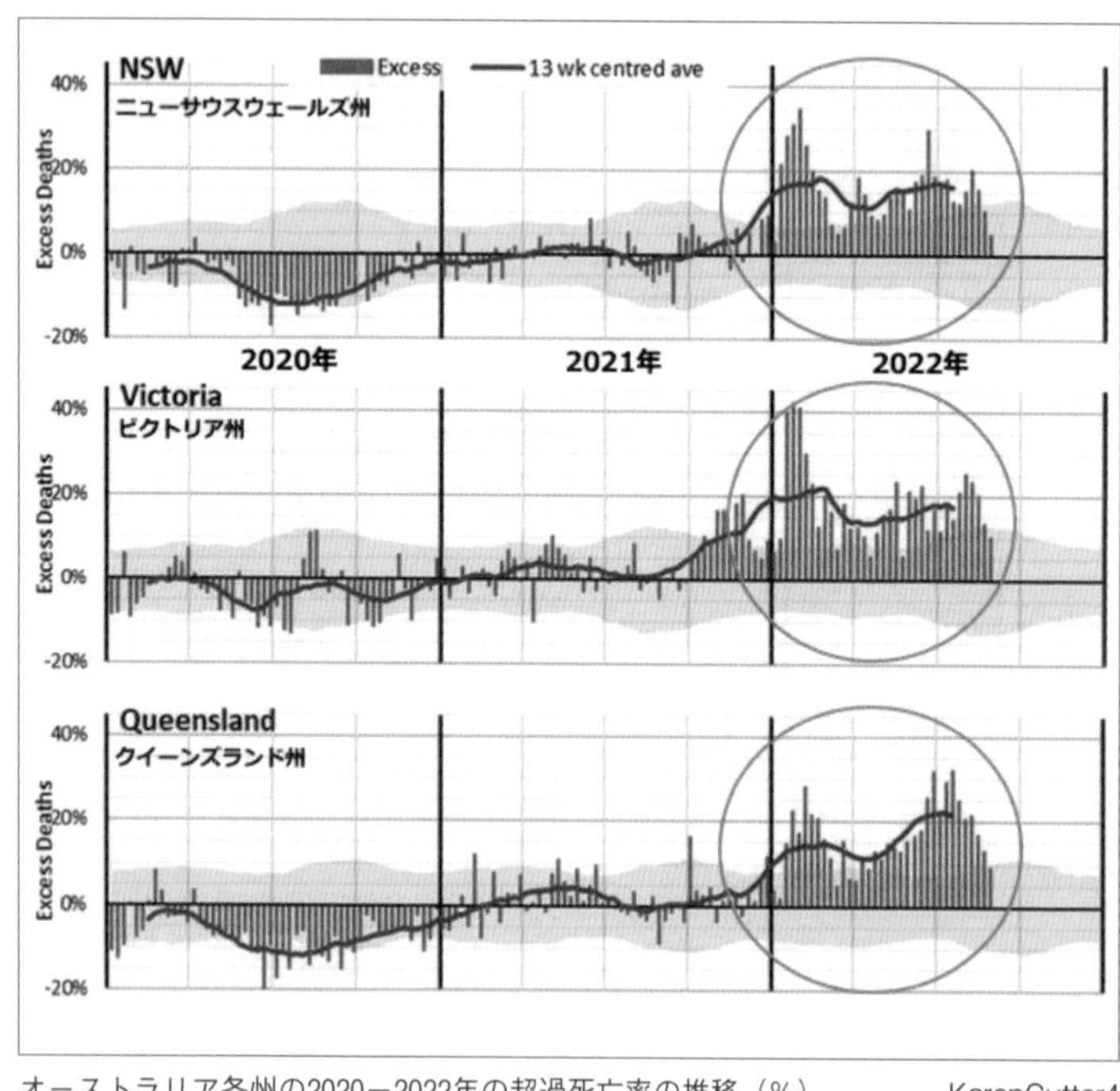

オーストラリア各州の2020－2022年の超過死亡率の推移（%）　KarenCutter4

領域の「上」にいった場合、予想の範囲を超える「超過」ということになります。

２０２０年の死者数（黄色い■）は、コロナの真っ只中であったにもかかわらず、２０２０年３月を除けば、むしろ死亡率は予測より低かったときが多いことがわかります。

２０２１年（赤い●）は、３月以降は、ほぼ予測より上です。それでも、２０２１年までは顕著な増加は見られません。ほぼ予想の範囲内にあります。

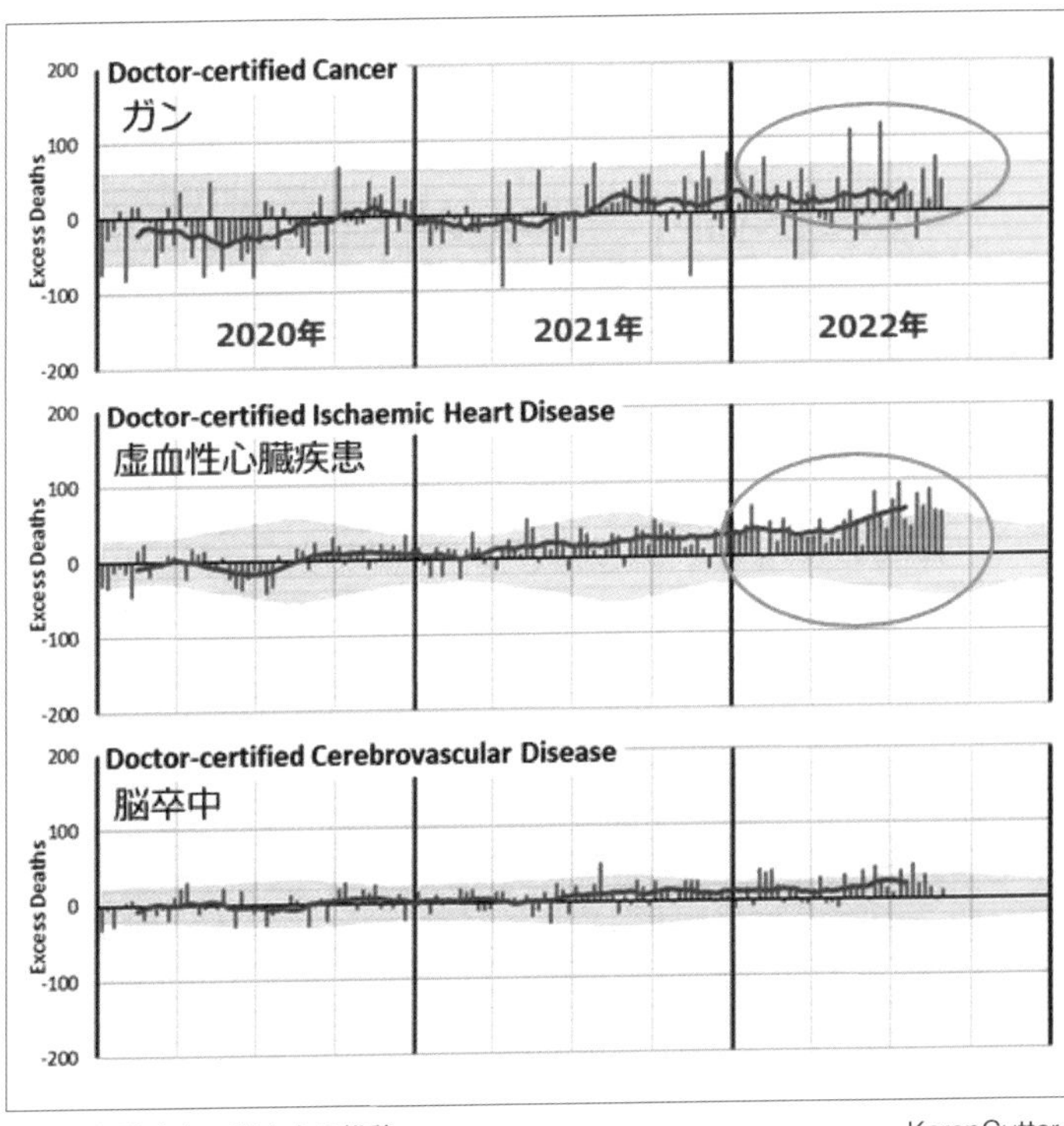

ガン、心臓疾患、脳卒中の推移　KarenCutter4

次は、2021年から2022年です。

2022年（橙色の◆）は、全期間を通して、過度な超過死亡の状態が続いていることがわかります。

右ページのグラフのほうがむしろわかりやすいかもしれません。

オーストラリア各州の超過死亡率の2020年から2022年までの推移です。

あと、興味深かったの

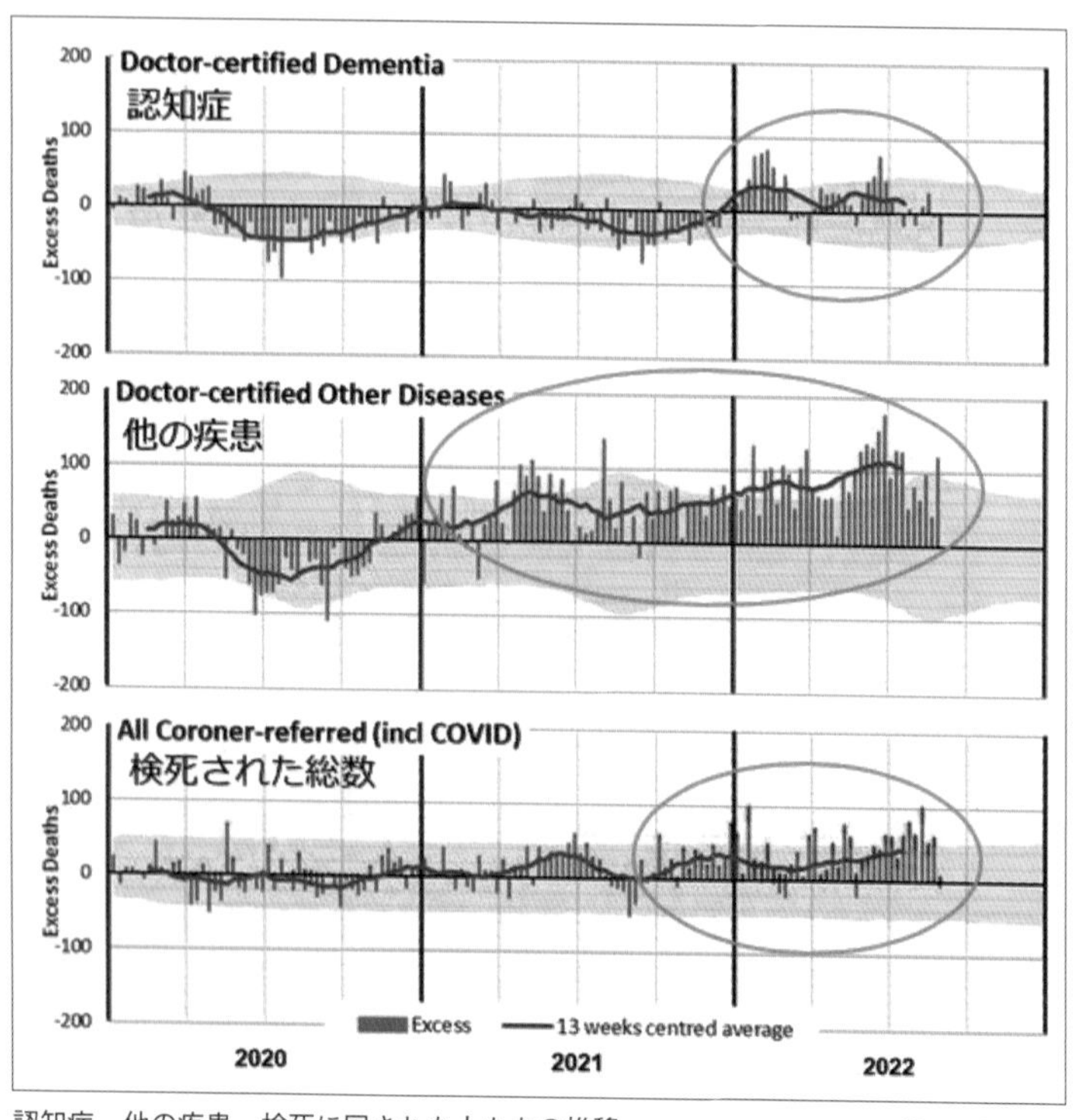

認知症、他の疾患、検死に回された人たちの推移　KarenCutter4

は、「2020年から2022年までのさまざまな疾患数の推移」（前のページのグラフ）でした。

それぞれ、左が2020年、中が2021年、右が2022年です。

すべての疾患症例が、医師による認証を得ています。

楕円はわかりやすくするためにこちらで入れています。

ガンも2022年に増えていますが、特に心臓疾患に関しては、202

2年は「下振れナシ」であり、ずっと超過状態であることが示されています。

右のグラフを見てわかるのは、「認知症」は、2021年にはほとんど増えておらず（むしろ過小状態となっている）、2022年から急激に増加したことです。

しかし「他の疾患」に関しては、2021年から、ほぼ超過の状態が続いていることがわかります。

原因が何かはともかく、原因があるとした場合、認知症は「その原因から、しばらく経ってから起きてくる」というようなことが見てとれなくもないです。

1年後とか、1年半後とか。

こういう超過死亡は、主要国全体で起きていまして、おそらく最も超過死亡率が高くなっているのは韓国と南米チリだと見られますが、イスラエル、フィンランド、アメリカなども高いです。

ヨーロッパの超過死亡については以下の記事など何度か取りあげています。

［記事］ヨーロッパ全体での「謎の過剰死の急増」に困惑する専門家と科学者たち。欧州最大の超過死亡率を記録したスペイン政府は正式な調査を命じるが……

In Deep　２０２２年9月16日

超過死亡の原因について今さら書くようなことは何もないですが、
問題は、原因より、

「このような状況がこれからも続くのか」

ということです。

それとも時間と共に収まっていくのか。それはわかりません。

日本については、日本の超過死亡数の現時点での正確な数値はわからないですけれど、
現在確認できる超過死亡率の統計は9月分までで、その時点では、日本の超過死亡率は、
今回のオーストラリアと同じ「13%」が示されています。
統計学的には、本来なら「調査が必要」な数値です。

しかし、現状では、

「日本では、世界と比較して群を抜いた数のコロナ死が拡大している」

という局面でもあり、日本の超過死亡はこの冬さらに大きくなる可能性もなくはないか

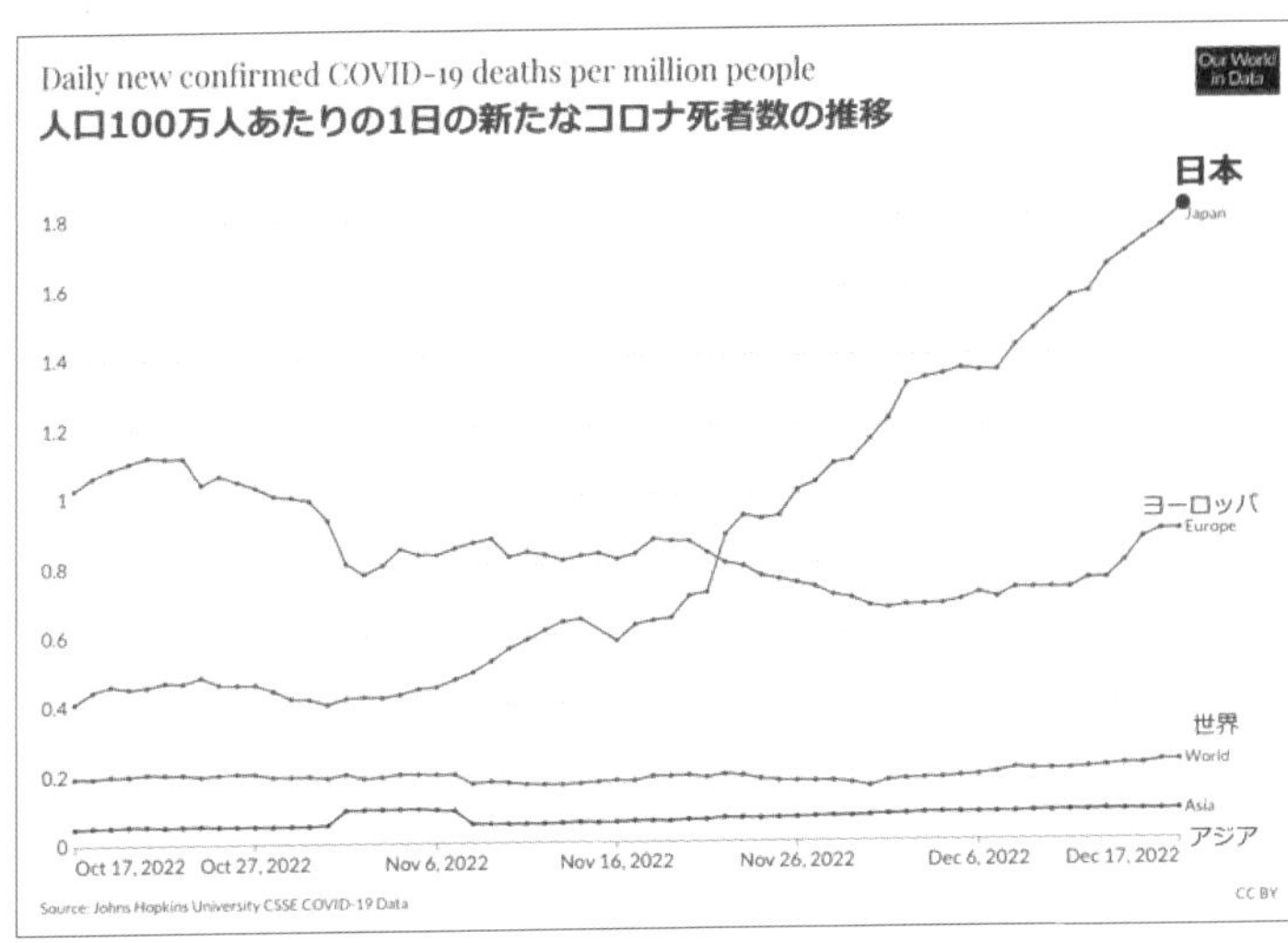

日本と世界、アジア、欧州の新たなコロナ死者数の推移　ourworldindata.org

もしれません。

上のグラフのように、12月17日時点の日本の人口100万人あたりのコロナ死者数は、アジア全体の23倍、世界全体の8倍などとなっており、ヨーロッパと比較しても2倍程度になっています。

もう3年目ですよ？

国と当局が対策に「全力を尽くし」て約3年です。

それでこれであるなら、来年も再来年もその後も同じになるはずです。

感染数がどうこうではなく、このように実際に、どの国よりも多い率で人が亡くなっています。

これでも、まだマスクとワクチンを推奨

しますか?

スイスで前例のない「うつ病と精神疾患の増加」

投稿日:2022年12月13日

AFP通信の「精神疾患による若年女性の入院急増　スイス統計局」(2022年12月13日)という報道記事を読んだのですが、その内容は深刻なものでした。
抜粋すると、以下のようなことが書かれてあります。

(AFPの記事より)
・スイスの昨年の10~24歳の入院理由の1位が初めて精神疾患となった。
・特に女性の間で、精神疾患による入院の割合が昨年は前年比26%増と大幅拡大。10~14歳では同52%増に達した。
・特にうつ病を患う若年女性が急増。2020年には前年比14%増だったのに対し、昨年は同42％増へと伸びが加速した。

10～14歳の精神疾患が前年比で「52％増加」となっていたり、若年女性のうつ病患者が「42％増加」とあったり、これは平時としてあり得る数字ではありません。

この記事の精神疾患の増加に関して注意したいのは、「精神疾患の患者数が増加した」のではなく、「精神疾患による入院数が増加した」とあるのです。

特に、圧倒的に女性の増加が目立っているようです。

たとえば、

・10～14歳の女性の精神疾患による入院前年比52％増

に対して、

・同年代の男性の場合は6％増にとどまっている

また、

・うつ病を患う若年女性の増加が42％に達している

のに対して、

・同世代の男性では14％増だった

とあり、比較にならないほど女性が多いようなのです。

なお、うつ病はもともと女性のほうに多い傾向（おおむね男性の2倍など）があります が、その理由についてはわかっていませんでした。

ところが、最近、それと関係しているかもしれない理由として、長鎖ノンコーディング RNA（lncRNA）というものが見出されたという論文が発表され、アメリカの科学メディアがそれについて報じていました。

女性のうつ病のリスクを高める FEDORA
The FEDORA That May Increase Risk of Depression in Women

「昨年以来、うつ病の増加が懸念されていた理由は何か」ということを少し振り返ってみたいと思います。

スパイクタンパク質はさまざまに再活性化を促進する

まあ……何でもかんでも、ワクチンに結びつけることはしたくないですが、1年以上前から、こういう状態が拡大するのではないかという懸念は、何度も書いていました。

まず、

「スパイクタンパク質が、ヒトヘルペスウイルス6型というものを再活性化させる」

ということを知ったのは昨年、論文を読んでのことでしたが、

「うつ病発症者の8割から、このヒトヘルペスウイルス6型が検出される」

のです。

これらに関しては、以下のような昨年の記事で書かせていただいています。

[記事]うつ病……帯状疱疹……
In Deep 2021年9月8日
[記事]数年後の社会：双極性障害、大うつ病性障害、統合失調症、アルツハイマー病……HHV－6の再活性化が及ぼす広い影響に戸惑うばかり
In Deep 2021年9月16日

右の記事には「数年後の社会……」と書かれていますが、数年どころではなく、2年経たないうちに起きている。

ヒトヘルペスウイルス6型がうつ病の原因になることを見出したのは、日本の医学者で、

東京慈恵会医科大学のウイルス学が専門である近藤一博教授です。

著作『うつ病の原因はウイルスだった！』というものにわかりやすく書かれています。

近藤教授のチームによる「ヒトヘルペスウイルス6Bは、感染の潜伏期に視床下部－下垂体－副腎軸を活性化することにより、うつ病のリスクを大幅に増加させる」というタイトルの論文はこちらにあります。

ヒトヘルペスウイルス6Bは、感染潜伏期に視床下部－下垂体－副腎軸を活性化することにより、うつ病のリスクを大幅に増加させます：iScience（cell.com）

このヒトヘルペスウイルス6型は、双極性障害にも関係していることを、こちらの記事で論文等をご紹介しています。
［記事］数年後の社会：双極性障害、大うつ病性障害、統合失調症、アルツハイマー病……HHV－6の再活性化が及ぼす広い影響に戸惑うばかり
In Deep　2021年9月16日
「研究者たちは、HHV－6型ウイルスがニューロンに感染し、精神障害につながる認知障害を引き起こす可能性があることを初めて示した」という内容の論文です。

コロナ、というよりも、「スパイクタンパク質が、ヒトヘルペスウイルスを再活性化させる」ことについては、こちらの記事で、それを示唆する論文等をご紹介しています。

［記事］ヒトヘルペスウイルス再活性化の嵐で日本の将来的な社会像が見えにくくなる中、スーパーフード「松」について

In Deep　2021年9月9日

ともかく、

「この1年半、そのような働きを持つ可能性があるスパイクタンパク質が世界中で、人々の体内に注入された」

ことは、動かすことのできない事実であり、先ほどの昨年のブログ記事などに書かせていただいたようなことが正しいのであれば、

「今後おそろしいほど、うつ病を含めた精神疾患が増加する」

ということを当時思ったわけでして、先ほどの記事なども、その懸念というか、「そうなるとイヤだなあ」ということを書きました。

スイスの報道を見る限り、その恐れは現実化しているようです。

いくつかの国のものも見てみたのですが、２０２１年から２０２２年にかけてのデータはあまり発表されていないようでして、２０２０年頃までのものばかりで、現時点での正確なところはあまりわかりません。

ただ、世界最高のワクチン接種率を誇っていたシンガポールの、今年3月の記事ですけれど、

「シンガポール国立大学の学生の約4人に3人が、うつ病のリスクにさらされている」

というストレートタイムズの報道がありました。

この報道では、行動制限とロックダウンの影響というように書かれていますが、4分の3はなかなかの数値です。

実際、ロックダウン中には各国でうつ病はものすごい率で増加していましたが、ほとんどの国で、ロックダウンは２０２１年初頭に終わっています。

各国でうつ病が劇的に増加しているかどうかは、来年になれば詳細なデータが出てくるでしょうから、それでわかると思いますが、前提として、

「スパイクタンパク質は、その主要な原因となるヘルペスウイルスを再活性化させる」

という可能性が非常に高いわけで、少しでも可能性がある中で、昨年来あのような半ば

精神的に強制的なキャンペーンが始まったのは残念でした。

うつ病は結果として、自死に結びつく割合が最も多い疾患だからです。

こういう可能性のある研究が「たとえひとつでも」あったとして、それでも「打て」「打て」と言い続けた医学者とか専門家というものを信じられなくなるのは当然のことではないかとは思います。

しかも、影響はヒトヘルペスウイルスの再活性化だけではありません。

もう少し続けます。

性格や気質も変化したかもしれない

精神疾患に大きな影響を与えるひとつの物質があるのですが、スパイクタンパク質はそれに干渉し、精神疾患を起こしやすくする「かもしれない」という論文が昨年発表されていました。

以下の記事でご紹介しています。

［記事］永遠のワクチン接種の発言を聞きながら、スパイクタンパク質は神経疾患や精神疾患と強く関係する「ＭＡＯ」に結合するという新しい研究論文から思う、やはりやや暗い未来

In Deep ２０２１年９月７日

ＭＡＯとは、脳の「モノアミン酸化酵素」と呼ばれるもので、スパイクタンパク質がこのＭＡＯに結合することを、クロアチアの大学の専門家たちが見出したことを取りあげたものでした。

論文はこちらにあります。

ＣＯＶＩＤ－19感染と神経変性の関係：ＳＡＲＳ－ＣｏＶ－２スパイクタンパク質とモノアミンオキシダーゼ酵素の相互作用に関する計算上の洞察――バイオルクシブ（biorxiv.org）

右の記事で翻訳した医学メディアの記事から抜粋します。

・ＳＡＲＳ－ＣｏＶ－２スパイクタンパク質は脳のＭＡＯ酵素に結合し、神経学的問題を

引き起こす。

・クロアチアの複数の機関の研究者たちによる新しい驚くべき研究結果は、ＳＡＲＳ－ＣｏＶ－２コロナウイルスのスパイクタンパク質が、ある酵素に対して強い結合親和性を持っていることを示した。

・それは、モノアミン酸化酵素（ＭＡＯ）と呼ばれるもので、神経変性状態と関係する酵素だ。

・ＣＯＶＩＤ患者たちに、神経変性状態を含むさまざまな神経学的状態が出現するのは、さまざまな神経伝達物質の活動と化学的経路におけるスパイクタンパク質とＭＡＯの結合とその後のＭＡＯの破壊の結果である可能性を示している。

・いくつかの証拠は、モノアミン酸化酵素（ＭＡＯ）活性が、神経系の生体アミンと神経活動のレベルを調節できることを示している。

・ＭＡＯは、神経伝達物質であるノルエピネフリン、セロトニン、ドーパミンを脳から除去することに関与している。

・過去のさまざまな研究により、ＳＡＲＳ－ＣｏＶ－２コロナウイルスとそのウイルスタンパク質が、直接的または間接的に脳とさまざまな神経学的側面に影響を与える可能性があることがすでに実証されている。

・多くの公表された研究は、ＣＯＶＩＤ－19に感染した個人に長期的なメンタルヘルスの影響を与える可能性があることに同意している。（thailandmedical.news 2021/09/06）

このＭＡＯというのは、たとえば、Wikipediaに以下のようにある通り、人間の神経、精神の安定や情緒と関係する「神経伝達物質を分解」してしまうのです。

（モノアミン酸化酵素）
・セロトニン、メラトニン、ノルアドレナリン、アドレナリンは主にＭＡＯ－Ａによって分解される。
・フェネチルアミン、ベンジルアミンは主にＭＡＯ－Ｂによって分解される。
・ドーパミン、チラミン、トリプタミンは両者によって同程度分解される。

セロトニンやメラトニンが、神経の安定に関係することはよく知られていまして、またＧＡＢＡと呼ばれる精神を落ち着かせる物質は、神経の安定に大変重要です（ベンゾジアゼピン系抗不安剤は、ＧＡＢＡの作用を薬で増強するものが多いです）。
セロトニンやメラトニンだけではなく、ＭＡＯは、アドレナリンとかドーパミンとかも分解してしまう……ということは、神経の安定や安寧も、興奮や闘争心も含めて、「人間らしい感情がなくなってしまう可能性がある」のです。

幸せを安らかに感じることもなければ、怒りで打ち震えることもなくなる。

先ほどの昨年のブログ記事で、私は以下のように書きました。

（2021年9月7日のIn Deepより）

＞それによって、神経疾患的、あるいは、神経疾患とまでいかなくとも、精神的な部分で、あるいは性格などが「変化」してしまうということもあり得るというか、この研究では、ある程度は「それはあり得る」と。性格が変わってしまうというようなことがあるのかもしれません。

＞上の神経伝達物質の一覧を見ますと、これらが影響を受けたりした場合、人によって、以前より怒りやすくなったり、逆に以前より感情が出なくなったり、笑わなくなったり、あるいはその逆だったり……という「変化」がコロナ感染の後……と、そして何よりワク……。（In Deep）

ここでは「人間の感情が平坦化してしまう」という懸念を書いています。

実際に、世界がそうなったかどうかはわかないですが、どうなんでしょうね。

以前、以下の記事で書かせていただきました「人々のエネルギーが何か変化してしまった」ということ……これは簡単に書けば、ギラギラしなくなっている「気がする」ということには、こういうことも関係しているのかもしれないと今さらながら思いました。

[記事] ２０２１年以来、人間のエネルギーは変わってしまったのだろうか
In Deep ２０２２年10月９日

それにしても、このワクチンは本当によくできている……。

人間の生化学を熟知した人間でしか作ることができないものです。

ファイザー社が、組換えコロナウイルスの発明を特許として申請したのは、１９９０年のことでした。32年前です。以下の昨年の記事にあります。

[記事] ……１９９０年のファイザー社の特許「コロナウイルス遺伝子組み換えスパイクタンパク質の発明」から30年間の努力の歴史

In Deep　2021年7月15日

この1990年に、ファイザー社は「犬コロナウイルスのスパイクタンパク質遺伝子治療に関する特許」を出願しています（2010年に失効）。

結構長いんですよ。

それが今、結実しつつあるようです。

Part 2

第三次世界大戦に関する危ない話

——米ロ直接衝突と世界終末報復装置

ロシアの終末核装置「ポセイドン」が配備された可能性の中で、初代アメリカ大統領の230年前のヴィジョンがふと浮かぶ

投稿日：2022年10月8日

ロシアの核魚雷ポセイドンの作動条件

先日、ロシアの核魚雷であるポセイドンを搭載した潜水艦が「出航した模様」という報道を読みました。

（報道）ロシアの原子力潜水艦が、核魚雷『ポセイドン』を搭載して北極海に向けて出航した模様（2022／10／05）

（東亜日報より）

報道の冒頭は以下のようなものでした。

・北大西洋条約機構（NATO）が最近、加盟国に、「『終末の日の潜水艦』と呼ばれるロシア海軍の原子力潜水艦『ベルゴロド』（K329）が、核魚雷『ポセイドン』を搭載して北極海に向けて出航した。核兵器実験の可能性がある」という情報を伝えたと、イタリア紙ラ・レプッブリカが2日、報じた。(donga.com)

「ついにポセイドンが……」と思いましたが、この記事には、

∨核兵器実験の可能性がある

などと書かれていますが、これは「実験」などするような兵器ではありません。

これは「世界終末報復装置」と呼ばれているものなのです。

このポセイドンのことは2019年に知りまして、以下の記事で取りあげています。

［記事］ロシアが構築した「世界終末核装置」。ポセイドンという名のその報復兵器の破壊力は、広島に落とされた原爆の5000倍……

In Deep 2019年2月13日

前ページの記事でご紹介したビジネス・インサイダーには以下のような記述があります。

もし、核弾頭を搭載したアメリカ空軍の大陸間弾道ミサイル「ミニットマン」が、目標に向けて発射された場合、それは目標の場所の高い上空で爆発し、その爆風は信じられないほどの下方圧力となる。

その場合、核兵器自体の火の玉は地面に触れることもないかもしれない。そして、その下では、どんな小さな粒子さえも一掃されるだろう。

しかし、ロシアのポセイドンは、そのようなものよりさらに大きな破壊力を持つのだ。ポセイドンは、これまでに爆発した最大の核爆弾と同じぐらい強力な弾頭を数多く搭載していると言われる。

さらに、ポセイドンは、海中と直接に接触するように設計されており、それは、あらゆる海洋生物や海底とダイレクトに繋がることになる。そして、爆発の際に発生する「放射性津波」により、致命的な放射線を何十万キロメートルもの陸地と海に広げ、海や土地を何十年もの間、人や生物が住むことができなくする。

簡単にいえば、現行の核兵器は、さまざまな都市ひとつを荒廃させる兵器だが、ロシア

（2019年2月11日のビジネス・インサイダーより）

のポセイドンは、「大陸と海洋単位で終末をもたらす」装置といえるのだ。
（businessinsider.com）

実験云々（うんぬん）というようなものではないのです。
これは、どういうように使われると西側の専門家たちは見ているかというと、
＞オーストラリア戦略政策研究所の上級アナリストであるマルコム・デイヴィスは、ロシアのポセイドンを「第三攻撃報復兵器」と呼ぶ。
＞つまり、ロシアがＮＡＴＯの一員を攻撃し、それにアメリカが対応して、ロシアが破壊された場合、ロシアはこの海に隠れた核兵器を、アメリカの海辺全体に向けて放つことを意味する。（businessinsider.com）

それで、今日、日本の報道を見ていましたら、以下のようなものがありました。ロシア政治を専門とする筑波大学の中村逸郎（なかむらいつろう）名誉教授という方の談話のようです。
（10月8日のスポニチより）

・沿岸で爆発すると高さ500メートルの放射能を含んだ津波を引き起こすとされる核魚雷「ポセイドン」を搭載できる原子力潜水艦が北極圏から姿を消したことに触れ、「世界が一番怖がっているのは、この潜水艦がもしかしたら大西洋に向かっているんじゃないかということ」と指摘した。

・「大西洋でポセイドンを発射すると、アメリカに凄い被害がいくんですよ。アメリカの沿岸に500メートルの津波がいくってことが、今現実味のある最悪のシナリオなんです」と真剣な表情で語った。(sponichi.co.jp)

これを聞いて「なるほど」と思ったのは、先ほどのブログ記事を書いた際に見た想定図は、「ニューヨーク沿岸で作動させる」というシミュレーションでした。そこにあったのは、陸地での被害想定が重視されているようなイラストでしたので、この「巨大な津波」というのは想定していませんでした。

しかし、この報道からは、「海洋そのもの」で作動させることにより、大西洋沿岸一帯が津波で襲われることになる、という可能性もあるのかもしれません。

500メートルの津波が起きるなら、「大西洋の真ん中あたりの爆発」でも、劇的に広

大西洋とその周辺　　Google Map

範囲に壊滅的な影響が出るはずです。

それで、大西洋とその周辺の地図を眺めていたんですが、「……大西洋で爆発してしまったら、影響を受ける国が多すぎる」とは思いました。

アメリカ、ヨーロッパから、南米、アフリカ、中米なんかも巻き込まれてしまう可能性がありそうで、「さすがにこれはないかな」とは思いますが、ただ……。

少し前のメルマガで「相互確証破壊」という概念について書きました。

これは、Wikipedia に以下のようにありますが、一言でいえば、「やられたら、必ずやり返す」という概念です。

相互確証破壊とは、核戦略に関する概念・理論・戦略。（略）核兵器を保有して対立する2か国のどちらか一方が、相手に対し先制的に核兵器を使用した場合、もう一方の国家は破壊を免れた核戦力によって確実に報復することを保証するというものである。（Wikipedia）

これは以前、ブログにも書いていまして、もう8年前の記事ですが、以下でふれています。

［記事］ウラジーミルの異常な愛情　または私は如何にして心配するのを止めて水爆を愛するようになったか
In Deep　2014年9月2日

そしてこの「ポセイドン」が、この相互確証破壊「的」なものも含めて、報復として作動してしまう可能性はないのだろうか……とは思ってしまいました。
もともとポセイドンは、最終報復的な意味合いを持つものですので、「他国への影響」とか何とかを考慮できないような状態になった場合、大西洋上で作動してしまう可能性があるのかないのか……と。

それに関しては、ポセイドンがどういう状況の下で作動させるのかという規定を知らないですので、想像してもどうにもならないですが。

そして、まあ……関係ない話となるのですけれど、先ほどの「沿岸で爆発すると高さ500メートルの津波を引き起こす」というフレーズで、ふと思い出したことがありました。予言とかヴィジョンのたぐいなんですけどね。

初代アメリカ大統領が見たビジョン

初代のアメリカ大統領は、ジョージ・ワシントンさんという方ですが（任期1789年4月30日－1797年3月4日）、アメリカ合衆国建国の父のひとりとされているこの方のヴィジョン（幻視）が米国議会図書館に記録されています。

これは、「George Washington's vision is recorded at the Library of Congress」などで検索すれば、いくらでもそれについて出てきますが、ヴィジョンの内容自体は、伝えられているもの同士にほとんど内容の差がないため、記録としては間違いないものとされているようです。

これについては、今から10年近く前の以下の記事で翻訳しています。

[記事]ジョージ・ワシントンのビジョンと予言：全文
In Deep 2013年2月24日

現在のアメリカ大統領も毎日ヴィジョンを見ているような感じですが、それとはやや異なるもので、「アメリカ最大の危機」が、抽象的に示されたものです。

かなり長いですので、全文に関しては、さきほどのブログ記事をご参照いただくと幸いですが、ジョージ・ワシントン大統領のヴィジョンは以下のように始まります。


(ジョージ・ワシントン米大統領のヴィジョンより)

今日の午後、特使の派遣の準備のためにデスクで執務していた時に、ふいに私の前に誰かいるような気配を感じた。

目を上げると、そこには非常に美しい女性がいた。

私は驚いて、彼女になぜそこにいるかを尋ねたが、彼女は何も答えない。何度か同じ質問を繰り返したが、その謎の訪問者から返答はなく、ただ少しこちらを見ただけだった。

その時、私の中に奇妙な感覚が広がっていることを感じた。（crystalinks.com）

このヴィジョンの中に、以下のような部分があることを思い出したのでした。


私はアメリカとヨーロッパの間の大西洋のうねりを見て、そしてアジアとアメリカの間の太平洋のうねりを見た。

（ジョージ・ワシントン米大統領のヴィジョンより）


再び「共和国の息子よ、見て、そして知りなさい」と声が聞こえた。

その瞬間、暗闇の中に天使が立っていた。

いや、立っているのではなく、浮いていた。

天使はヨーロッパとアメリカの間の大西洋の上に浮いていた。

天使は、海の水を手ですくい上げ、左手でヨーロッパにその水を放り投げ、そして、右手でアメリカの上に水を放り投げた。

すぐに、これらヨーロッパとアメリカの国々から雲が立ち昇り、大西洋の中央海嶺と結合した。そして、その様相は少しずつ西へ動き、アメリカを包み込んでしまった。

その間、稲妻の鮮明な閃光が輝いた。

私は閃光に覆われたうめき声と、アメリカ国民の叫び声を聞いた。

次に天使は海から水をすくい上げ、撒（ま）き散らした。それから、黒い雲が海に引き戻された。（crystalinks.com）

この「天使はヨーロッパとアメリカの間の大西洋の上に浮いていた」というフレーズからの部分を、つい思い出してしまったのでした。

さらに、ウィジョンの後半のほうには以下のようにあります。


（ジョージ・ワシントン米大統領のヴィジョンより）

そこで再び「共和国の息子よ、見て、そして知りなさい」と声が聞こえた。

声が終わると共に暗い影のような姿をした天使が、もう一度ラッパを口に当てた。

そして、その天使は恐ろしい衝撃を放った。

すぐに何千もの太陽にも相当するような光が私の頭上に見えた。

そして、それは何千もの暗雲の断片となって、アメリカを引き裂いた。（crystalinks.com）

読み直していて、「うーん」とは思いました。もちろん、初代米国大統領のヴィジョンとはいえ、単なる幻視であることには違いはなく、夢のようなものだったのかもしれないですし、内容に預言（よげん）的な性質があるのかどうかはわからないです。

ただ、8年前に訳していたときは、単に抽象的にしか聞こえなかったこのヴィジョンのフレーズが、妙に具体的に響いてくる時代となってきてしまったようです。

「すぐに何千もの太陽にも相当するような光が私の頭上に見えた」とか……。

その声の主は、最後のほうでこのように言います。

「共和国の息子よ、あなたが見たものは、このように解釈されます。3つの大きな危機が共和国にやって来ます。最も恐ろしいのは3つ目です。しかし、この最も大きな対立において、敵対する連合した全世界は勝つことはできません」（crystalinks.com）

あと、これも関係ない話ですが、ふと思い出したのは『シャーロック・ホームズ』シリーズで有名な作家であるコナン・ドイルさんのヴィジョンというか予言のようなものです。

ドイル卿は、晩年はオカルトにハマっていたのですが、その晩年に、「人類の大部分が滅びる間の自然の激動の期間」という一種の予言を書いていますが、それもまた、「大西洋」が主軸なんですね。

「人類の大部分が滅びる間の自然の激動の期間」アーサー・コナン・ドイル
A period of natural convulsions during which a large portion of the human race will perish

人類の大部分が滅びる自然の痙攣の期間。

非常に深刻な地震、巨大な津波が原因のようにみえる。

戦争は初期段階でのみ現れ、それがその後の危機の合図のようだ。

危機は一瞬でやってくる。文明化された生活の破壊と混乱は、信じられないほどのものになるだろう。

混乱の短い期間があり、その後いくらかの再建が続く。激動の総期間は約3年になる。

混乱の主な中心は東地中海盆地であり、少なくとも5カ国が完全に消滅するだろう。

また、大西洋では陸地が隆起し、それが津波の原因となり、アメリカ、アイルランド、西ヨーロッパの海岸に大災害をもたらし、低地のイギリスの海岸はすべてが巻き込まれる。南太平洋と日本の地域でも、さらなる大変動が示されている。
人類は、その精神的価値に立ち返ることによってのみ救われる。

また、ドイル卿は「激動の総期間は約3年」というように述べていますが、今は2022年で、3年後は2025年というあたりに、ディーガル、なんて概念も思い出したりもします。
まあ、なんで今になってこんなことを思い出しはじめたかというと、先日の以下の記事で、今、「ヨベルの年に入ったのかもしれない」ということがあります（ヨベルの年とは「リセットの年」のこと）。

[記事] つい先日までユダヤ暦の「シュミータ」の期間で、そして今、49年サイクルの「ヨベルの年」に入った可能性があることを今にして知る。……荒れそうです。
In Deep　2022年10月1日

今後の1年とか2年とかは、その方々の年齢にもよるでしょうけれど、「人生で1度くらいしか経験しないようなことが起こる」というようにも少し考えています。

なお、ヨベルの年なのかどうかは、今後の金融市場や不動産などでも兆候は出ると思われます。それらに何もなく穏やかな状態が続くなら、今はヨベルの年ではないでしょう。

しかし、ヨベルの年だとすれば、来年にかけて激動もあるのかもしれません。

「アメリカと西側諸国は狂気じみた無謀な核戦争を引き起こそうとしている」という米軍特殊部隊元大佐リチャード・ブラック米上院議員の発言

投稿日：2022年12月20日

西側のロシアへの挑発が止まらない

先日、アメリカ軍の特殊部隊と海兵隊の大佐だったリチャード・ブラック（Richard Black）さんという現上院議員の方が、

「ウクライナはすでに戦争に負けた。次の懸念は核戦争」というようことを述べていたインタビュー動画が、海外の多くの動画メディアで取りあげられていました。YouTube にも現時点ではあります。

Ukraine has lost the war, it just isn't over yet, says Col

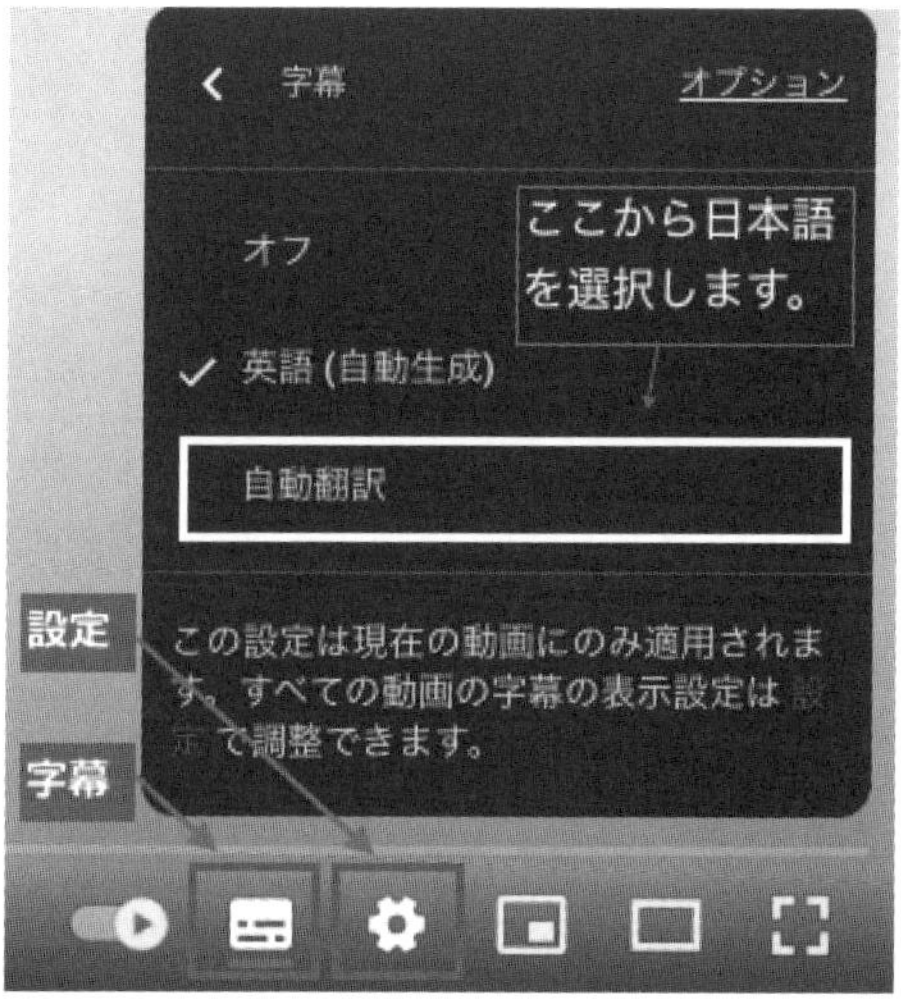

英語ですが、字幕機能である程度は日本語でも字幕が表示されます。

YouTube の字幕を日本語にする方法は、地球の記録のこちらの記事（2022年11月8日）で簡単に取りあげたことがありますが、大ざっぱには、以下のような手順で日本語字幕を表示できます。

YouTube の外国語の動画に日本語字幕をつける方法

・動画下の右側にいくつかのアイコンがあり

ます。
・その中央に灯油タンクのフタみたいなアイコン（設定）があります。
・その「設定」をクリックします。
・上から3番目に「字幕」という項目があります。
・その右側に「オフ」あるいは「英語（自動生成）」と書かれています。
・その「∨」をクリックします。
・一番下に「自動翻訳」という項目がありますので、クリックします。
・言語一覧が出ますので「日本語」を選択します。
・先ほどの「設定」アイコンの左に「字幕」アイコンがあります。
・それをクリックすると、動画に日本語の字幕がつきます。

インタビューの冒頭で、リチャード・ブラック元大佐は以下のように述べています。

「ウクライナは戦争に負けた。しかし、まだ戦争は終わっていない」

これは、インタビュアーから、「最近、ウクライナ（西側）からロシア国内への攻撃へとエスカレーションしているように見えるのですが」という質問に対して答えたものです。

ブラック上院議員の言葉

「それが示していることは、NATO、米国、英国は、ウクライナが、すでに戦争に負けたことを理解しているということを示しています。彼らがこの戦争に勝つことはありません。彼らが勝つ可能性はまったくありません」

「そして、西側諸国は信じられないほど狂気じみた無謀な核戦争を引き起こそうとしています」

≪What it shows is that the West NATO, United States, the UK understand that Ukraine has lost the war.

≪They will not win the war. There's absolutely no chance that of them winning.

≪And what has happened is that the West has become an incredibly almost insanely reckless in provoking a nuclear war.

Richard Black

ブラック元大佐は「核戦争」という言葉を使っていますが、それを、

「西側諸国が引き起こそうとしている」

と述べています。

ホンマにそう言ってるのかいなと思い、前ページのように英語でおこしたりもしましたが、そうおっしゃっています。

少し前に、やはりアメリカ軍の元陸軍大佐であるダグラス・マクレガーさんという方が、インタビューの途中で同じようなことを述べていました。以下は、そのインタビューの途中の部分からの抜粋です。

ダグラス・マクレガー元陸軍大佐の言葉
「ウクライナ紛争はロシアを強化し、西側を台無しにする」より（InoTV 2022/12/18）

しかし、心配なのは、私たちが相手にしている支配階級である西側のエリートたちが、ロシアのような大国との紛争に私たちを引きずり込もうとしているということです。反撃する手段を欠いた敵に対する目立たない紛争である「選択の戦争」に私たちを巻き込むことは一つの手段です。たとえば、イラクやアフガニスタンです。

実際、軍事的な観点から言えば、これは赤ちゃんの殴打に似ています。

しかし今、私たちは赤ちゃんと戦っているのではありません。そして敵（ロシア）は無能ではありません。彼は弱くない。愚かではありません――そして興味深いことに、彼（ロシア）は本当に私たちとは戦いたくないのです。

彼（ロシア）は自国への脅威に終止符を打ちたいと思っています。

アメリカは過去20年間、ロシアに対する対応にたゆまぬ努力をしてきました。

なぜこれを行うのかとよく尋ねると、混乱する答えが返ってきます。

たとえば、「ロシア当局は腐敗しているから」と。なるほど、理解します。しかし私たちの国（米国）の大部分も腐敗しており、世界の残りの部分もまた腐敗の問題を抱えています。

さらに、「彼らはならず者（rascal）だから」と。

rascalとはどういう意味ですか？　彼ら（ロシア）の戦略的利益が、どこで私たち（米国）の利益と衝突しますか？

そしてほとんどの場合、誰も合理的な答えを出すことができません。

……どうやら、ロンドン、ニューヨーク、ワシントンの資金豊富な少数派たちが、ロシアを破壊することに深い関心を持っているようです。

今、それが裏目に出ています。

実際、今日のロシアは紛争前よりも財政的にも経済的にも強くなっています。そして、現在のロシアは最初に持っていたものよりもはるかに大きく、戦闘準備ができており、致命的な軍事力を持ってこの場にいるのです。

これは私たち（アメリカと西側）を台無しにしています。

ロシアとウクライナの間の紛争は、米国の覇権の崩壊のプロセスを加速するだけです。西側が、全体的に「自死的行動をとっている」ことがわかるのですが、「なぜそれをしているのか」ということについては、いろいろな考えがあります。ウクライナの戦争が始まった頃に書いた以下の記事などにそれはあります。

[記事] 誰を崩壊させるための対ロシア制裁なのか。目指すのは西の自死？　それともこれもいわゆるグレートリセットへの道？
In Deep　2022年4月2日

自死でも何でも、その行き着く先が核危機では、いろいろと困りますね。

しかし、核戦争というようなこと以前に、リークされたドイツ軍最高司令官の機密文書の内容をヨーロッパ最大のメディアであるシュピーゲルが、

「ロシア軍が警告なしにヨーロッパに侵攻する可能性がある」

と報じていたこともあり、核以前に、まずは戦争の拡大というのは可能性が高そうです。

以下の記事で取りあげたことがあります。

日付を見ますと、11月21日の記事ですから、まだ1か月ですね。思っている以上に早くいろいろと進んでいるのかもしれません。

［記事］流出したドイツ連邦軍参謀総長の文書「ロシアのヨーロッパ侵攻が近く、それはドイツを地図から一掃する可能性がある」という警告で欧米が大騒動
In Deep　２０２２年11月21日

右のタイトルに「欧米が大騒動」というようにありますが、今日（12月20日）は日銀の大規模緩和の修正という報道により、日米が大騒動になりそうな感じですが、それはともかく、この年末に近づいて、グッと荒れてきています。

なお、今日、「ロシア軍の首都再侵攻懸念　ベラルーシに部隊集結——ウクライナ（時事通信　２０２２／12／20）」という報道を読みました。

ベラルーシ経由で首都キエフにロシアが進軍するのではないか、というような懸念の話ですが、懸念はそこではないです。

以下の記事で取りあげましたが、10月に、アメリカ軍の「第１０１空挺師団」が、ウクラ

イナとルーマニアの国境にすでに派遣されているのです。懸念はその米ロの直接衝突です。

［記事］アメリカ軍の最強空挺部隊「第１０１空挺師団」が、第二次世界大戦以来約80年ぶりにヨーロッパに配備される。状況はさらに世界戦へ近づく……
地球の記録　２０２２年10月24日

現状は、ウクライナ国内での戦争、戦闘になった場合、

「ロシアとアメリカの直接衝突となる可能性が高くなっている」

ことを示しています。

そして、そのリスクを「回避すべきだ」と最初に述べたのは、「ロシアのほう」でした。

先ほどのマクレガー元陸軍大佐もおっしゃっていたように、ロシアは、とにかくアメリカあるいは西側と直接、対峙（たいじ）したくはないようなのです。それらと戦争などしたくない。

しかし、ウクライナ侵攻もそうでしたけれど、アメリカと西側は「とにかくロシアを世界戦争に引きずり込もう」と、ずっと「努力」し続けていました。

なんとなく、もうロシア側の我慢も限界のような気もしていまして、場合によっては、２０２３年はとんでもない混沌となるのかもしれません。

基本的にはアメリカのせいではありますけれど、日本も同じ土俵にいます。

米国とロシアの直接衝突の懸念について述べた米ゼロヘッジの本日の記事をご紹介して締めさせていただきます。

クレムリン：ウクライナで「米国とロシアは直接衝突の瀬戸際にある」
Kremlin: “US & Russia On The Brink Of A Direct Clash” In Ukraine
zerohedge.com 2022/12/20

ベラルーシ軍がウクライナでの戦闘に参加する可能性があるという懸念が高まる中、ウラジーミル・プーチン大統領が隣国ベラルーシを、稀な国賓訪問した同じ日に、ウクライナ軍への支援をめぐるさらなるエスカレーションを避けるように、クレムリン（ロシア政府）がアメリカ政府に緊急に求めた。

ロシア国営メディアの報道によると、ロシア外務省のマリア・ザハロワ報道官は12月19日、米国の「危険で近視眼的な政策」によりロシアとの「直接衝突の危機に瀕している」と述べた。

「何としてでもアメリカの覇権を維持したいというアメリカの願望と、安全保障に関する深刻な対話に参加することへの傲慢な不本意が、現在の危機につながった」とし、ウクライナが、NATOに加盟しないという「保証」を訴えた。

この鋭い言葉は、米国務省のネッド・プライス報道官が最近、米ロ関係の急速な悪化の責任をロシアだけに負わせたことへの必要な反応だとロシア国営メディアは説明した。

プライス報道官は現在の関係の状態を「不安定で予測不可能」と特徴付けていた。

ロシア外務省のザハロワ氏は12月19日の発言で次のように続けた。

「米国の『地上の活動存在』に関する正確な非難を特定することはできないが、これは、米国の諜報機関がウクライナ人を支援する役割を拡大しているという最近の広範な報道への言及である可能性がある」

ザハロワ氏はさらに、「これは米国とロシアを直接衝突の瀬戸際に追いやる危険で近視眼的な政策だ」と述べた。

「ロシア側としては、ジョー・バイデン政権に対し、状況を冷静に評価し、危険なエスカレーションのスパイラルを解き放たないように要請する。今のところ楽観的な理由はないが、彼らがワシントンで私たちの意見を聞いてくれることを期待している」

今月は、国防総省と米国諜報機関のウクライナにおける役割の深化に関する複数の衝撃的な暴露を目の当たりにしてきた。

・ホワイトハウスが、パトリオットミサイルのウクライナへの移転を検討していること。
・米国防総省が、米国の武器移転を監視し、説明することを求める小規模部隊の「地上」プログラムを拡大していること。
・ロシアが戦場において米国が供給したＨＩＭＡＲＳミサイルの攻撃にますます直面していること。
・米国が、歩兵中隊をロシア国境に近いエストニアに派遣し、共同訓練を行ったこと。
・戦闘機の移転の可能性を含め、ＮＡＴＯがウクライナ上空で「空を閉じる」よう求める声が大きくなっていること。
・米国の諜報機関が、ウクライナがロシアの将軍を「斬首攻撃」の標的にすることを支援してきたこと。
・アメリカ政府は、ウクライナ軍にクリミアを奪還する能力があると信じていることを示唆しているが、それには核反応のリスクが伴うこと。
・ウクライナが、ロシア領内でリスクの高い攻撃を増加させていること。

ウクライナはまた、アメリカから供給された新しい玩具（ＨＩＭＡＲＳ　ミサイル）を大胆に見せびらかしていることが伝えられている。

こうしたことすべてが、米ロ両国が実際の直接対決と衝突に向かっていることをより強く示唆している。

ベラルーシ軍がロシアを支持してウクライナ紛争に介入する可能性があるという現在進行中の憶測に関しては、ロシアの高官はこの選択肢を否定している。……少なくとも今のところは。

現在の米軍が「史上最弱」であることが判明している中で近づく世界戦争と経済破綻の中をどう生きる

投稿日：2022年10月25日

今も続くプロパガンダ

ロシアの特別軍事作戦に関する日本の報道のいわゆる「プロパガンダ」は、今も果てしなく継続しているようですが、目的がよくわからない。

ワクチン・キャンペーンの時のプロパガンダには「何らかの利益の関係」があったと思うのですが、戦争はわからないです。

［記事］真実を報じ続ける世界中のメディアへのゲイツ財団からの贈り物
In Deep　2022年3月13日

ロシア側に不利な報道ばかりをして、日本の、あるいは日本国民の誰がどう得するのかが全然わからない。現時点では、ヨーロッパほどひどい状態ではないとはいえ、「不利益ばかりを受ける」のが実情だと思います。

しかも、あまり度が過ぎると、「日本もウクライナみたくなっちゃう」という可能性が絶対にゼロとはいえないですし。相手がロシアか中国かはともかく、可能性はゼロではないはずです。

それでまあ、日本は、アメリカと同盟だかなんだか軍事的にもそういうようなことになっていると思うのですが、最近のメルマガで少しふれたのですけれど、

「今の米軍はメチャクチャ弱い」

のです。

「メチャクチャ」とつけたのは、強弱の総合評価が米軍の評価史上初めて「弱い」とつけられたことにあります。

この評価をつけたのは、歴史あるアメリカの保守系シンクタンクである「ヘリテージ財団」で、この財団は毎年、米軍の「強さ」を詳しく評価していますが、今回、初めて、「弱い」とつけざるを得なくなったのでした。

ヘリテージ財団が、10月18日に発表した報告書は以下にあります。

ヘリテージ財団が２０２３年の米軍強度指数を発表。米軍に史上初の「弱い」総合評価を与える

Heritage Foundation Releases 2023 Index of U.S. Military Strength, Gives U.S. Military First-Ever 'Weak' Overall Rating

個々の詳しい内容はともかく、各軍に対しての評価は、以下のようになっています。

（ヘリテージ財団の米軍の強度指数の報告書より）

・陸軍：最低限（ここから落ちると「弱い」に分類）
・海軍：弱い
・海兵隊：強い
・空軍：非常に弱い
・宇宙軍：弱い
・核能力：強い
(heritage.org)

「強い」という評価は、海兵隊と「核能力」だけですが、しかし、それぞれ問題が多く、現状の評価の方向ですと、来年は共に格下げとなりそうです。
この最も大きな問題は、以下の点だと報告書は書いています。

（ヘリテージ財団の米軍の強度指数の報告書より）
部隊にとっての課題をさらに悪化させているのは、インフレと予算削減であり、2018年から2023年までの間に590億ドル（約8兆8000億円）の資金が失われ、アメリカの同盟国が私たちの共通の安全保障上の利益に貢献できる支援が限られていることによって悪化している。

そして、

＞一方、米国の主要な敵対国である中国、ロシア、イラン、北朝鮮は、軍事力を強化し、米国のパートナーを脅かしている。これは、ロシアによる一方的なウクライナへの侵略とあるいは、中国、北朝鮮による台湾、日本、韓国などの近隣諸国への継続的な脅迫に見ることができる。

とあり、アメリカと、その敵対国と見なされている中国やロシアとの「兵力の差は広がるばかり」であることをヘリテージ財団は嘆いているのですが、

「それなのに、アメリカを始めとした西側諸国は、ウクライナに兵器と資金を送り続けている」

わけです。

今回は、このヘリテージ財団の報告書を分析し「衝撃」として報じた、英デイリーメールの記事を最後にご紹介しますが、そこには以下のようにありました。

（デイリーメールより）
・米国は現在、陸上配備型ミサイルを300発しか保有していないが、中国は1万400 0発以上、ロシアは1万2000発以上を保有している。
・特に海軍は……米国の艦隊は300隻未満に減少しており、ロシアと中国はそれぞれ7 00隻以上を保有している。（Daily Mail）

現在の米軍最高司令官　nofia.net

もはや「国防機能として危険な領域」にまで達しているのにもかかわらず、それなのに、えんえんとウクライナへの支援を続けている。

まあ、最高司令官が真の知将であり、何らかのお考えがあるのかもしれないですが……。


この「整合性を欠いている」ことに関しての海外の報道は事欠かなく、たとえば、ドイツでは、

「戦争用の弾薬がなくなっちゃった」

と報じられています。

以下に翻訳がありますが、ウクライナに武器を送り続

けたせいで、「自国で戦争が起きた場合、1日か2日分の弾薬しかない」ことをスウェーデンの報道社にドイツ政府の資料からスクープされていました。

（報道）ドイツは弾薬が尽きた（2022／10／11）

さらに、アメリカも、自走多連装ロケット砲の「HIMARSロケット」という兵器があるのですけれど、

「ウクライナに送りすぎて、全部なくなっちゃった」

ことが判明しています。

アメリカの軍事分析組織のディーガル（あのディーガルです）が、ロシアの情報として伝えていました。以下に翻訳があります。

（報道）米国はHIMARSロケットを使い果たし、ウクライナへの供給を停止した（Deagal 2022／10／23）

この記事の冒頭は、

>ウクライナ政府は毎月5000発以上のHIMARSミサイルを消費しているが、ロッキード・マーチンはそのようなミサイルを年間9000発しか生産していない。

（Deagal）

「……あんたら……脳をどこかに……」と思わず呟きましたが、月産で数百発しか製造できない兵器をウクライナにどんどん送って、そして、ウクライナ軍は非常に「無駄に」この高性能のロケットを使いまくった結果、「もう送ることができなくなりました」とアメリカが述べたという話です。

「？？？」と思いますが、こういう話は、ロシアがどうこう、ウクライナがどうこう、アメリカがどうこうという話を超えて、大変にブレインデッドな話ではあり、こう……西側は「思考の制御も失っている」感じがあります。

対ロシア制裁での経済の疲弊もそうですけれど、まともに考えられるトップが（ハンガリーなど一部を除いて）欧米には見当たらないです。

以前から、日本でも報道の「雰囲気」として、弱くて貧しいウクライナに、強大なロシアが襲いかかっているが、ウクライナは頑張っている……というような一種の浪花節調の「空気」を聞きますが、実体は以下の通りであり、今のウクライナは「世界で最も潤沢な軍事資金を無尽蔵に与えられている国のひとつ」です。

イタリアの地政学アナリストによる「底なしの戦争支出」という記事からの抜粋です。
こちらに翻訳があります。

底なしの戦争支出

欧州連合は、例外的なマクロ金融支援として50億ユーロ（約7300億円）をウクライナに提供している。EUが後援する募金キャンペーンによって、さらに90億ドル（約1兆3100億円）が提供された。

ただし、これは予算不足を補うには不十分だ。

ゼレンスキーは、すぐにさらに550億ユーロ（約8兆300億円）を要求している。米国とEUは、すでに1000億ユーロ（約14兆6000億円）の軍事物資をウクライナ政府に寄付している。

それに加えて、EUがウクライナ軍の訓練と武装に費やした数十億ドルに加えて、個々のEU諸国が同じ目的のために費やした額を追加する。

米国では、国防総省が特定の議会の承認なしに、戦争産業から直接ウクライナ向けの大量の武器を購入することを許可する法案が上院を通過した。
The Bottomless Pit of War Spending

「14兆6000億円」ですよ。日本の現在の軍事費が、約5兆5000億円というところから考えても、ウクライナは非常に大きな規模の軍事的な予算と物資を与えられており、今後もさらに続くと見られるのですが、そんなことをやっている中で、アメリカでは、一般生活に危機が迫っていて、「もうすぐディーゼルが枯渇する」と言われているのです。

エネルギーメディアのオイルプライスは「アメリカのディーゼルの在庫が危機的な状態となっている」ことを伝えています。

ディーゼルは、平たくいえば、「産業のほぼすべて」と関係します。最近の米ブルームバーグの以下の記述がわかりやすいと思います。

（ブルームバーグより）

＞ディーゼルは世界経済の主力であり、トラックやバン、掘削機、貨物列車、船舶に動力を供給しているため、このような在庫の低水準は憂慮すべきものだ。ディーゼルの不足は、トラック輸送から農業、建設に至るまで、あらゆるもののコストが高くなることを意味する。

こういうものがなくなれば、市民生活を「直撃」します。ですので、本来なら「他国の戦争どうこうではなく、自国民を守るのが政府の義務なのでは？」と思いますが、決してそれはしない。

本当に狂気です。

ヨーロッパもアメリカも「被害を受けているのは一般国民」なわけで、この冬それはさらに厳しくなるでしょう。

なお、どうして「米軍の弱さ」にふれたのかといいますと、一昨日でしたか、

「米軍の空挺師団がウクライナの国境近くに派遣された」

のです。

ヨーロッパに空挺師団が派遣されたのは、第二次大戦以来のことで、しかも、隠密行動ではなく、

「アメリカのテレビで大々的に報じている」

のです。以下の記事でご紹介しています。

［記事］アメリカ軍の最強空挺部隊「第101空挺師団」が、第二次世界大戦以来約80年ぶりにヨーロッパに配備される。状況はさらに世界戦へ近づく……

In Deep　2022年10月24日

「ここまで挑発するか？」と思いますが、事態は次第に最も厳しい状況に突き進んでいく可能性が出てきています。

最初に書きましたように、今の米軍に勝ち目はまったくないです。核以外は。

英デイリーメールの記事をご紹介します。概要です。

報告によると、米軍は弱く、戦争に勝つのに苦労するだろう：中国はより多くの軍艦を建造しており、米国の戦闘機のパイロットたちはジェット機を持っておらず、訓練も受けていない。米国陸軍は十分な兵士を募集することができていない

Report finds US military is WEAK and will struggle to win a war: China is building more warships, fighter pilots don't have jets or training and army can't recruit enough soldiers

dailymail.co.uk 2022/10/18

長年にわたり、ますます海外で急成長している脅威との戦いに米軍が勝つことができない危険にさらされている可能性を新しい報告書が述べた。

憂慮すべきこの傾向は、米国に対する軍隊の強さと潜在的な脅威を分析するシンクタンクであるヘリテージ財団によって10月18日に発表された。

財団の軍事力指数で、ヘリテージはアメリカ軍を「弱い」と評価し、中国やロシアなどの成長する大国から「アメリカの重要な国益を守るという要求に応えられないリスクが高まっている」と評価した。

ワシントンに本拠を置くヘリテージ財団によって記録されている中で「弱い」という格付けは、歴史の中で初めてだ。

さらに、急速に前進する中国は、準備不足の米軍にとって依然として最も「包括的な安全保障上の課題」であり、財団は、中国が最近、陸、海、空の装備を強化していることを挙げている。

逆に、調査によると、米軍は大部分が停滞したままであり、現状は、パイロットたちは、飛行する航空機を持たずに放置され、入隊者が合法的な戦闘部隊を配備するために市民を募集するのに苦労している点まで後退している。

「米軍は、能力、準備態勢が全体的に侵食されており」、軍の主要な目的を達成する能力が危険にさらされていると述べている。

ヘリテージは、これらの懸念は空軍と海軍に関して特に蔓延(まんえん)していると主張し、「部隊全体の準備と能力の問題」を挙げた。

米国はまた、長距離ミサイルの在庫が減少するなど、ますます強力になるライバル国に技術的に遅れをとっている。

米国は現在、陸上配備型ミサイルを300発しか保有していないが、中国は1万4000発以上、ロシアは1万2000発以上を保有している。

ヘリテージ財団は、米軍に関する4つの主要な側面は、横行するインフレに対応できなかった国防総省の予算によって絶望的に妨げられていると指摘する。

特に海軍は、「艦隊の継続的な減少を阻止し、元に戻すことができない状況」であることを示しており、一方、ロシアと中国のライバル艦隊は、過去20年間でそれぞれの人員を3倍以上増やしている。報告書は、海軍が戦闘力を増強するよう求める声を支持し、298隻の海軍艦隊は「激化する作戦テンポ」に追いつけないと主張する。

2000年に米国は350隻近くの艦隊を誇っていたが、ロシアと中国は、それぞれ4

00隻強だった。現在、米国の艦隊は300隻未満に減少しており、ロシアと中国はそれぞれ700隻以上を保有している。

Part 3

戦争以外の危ない話

——7000基の人工衛星から降り注ぐ電磁波とヒトの送電媒体化！

世界最大の慈善家による「人間送電グリッド化計画」によってヒトはナノ粒子の巨大集合体になる⁉

投稿日：２０２２年12月15日

ビル・ゲイツ氏の夢

最近、

「人体を電気の送電媒体にする」

という科学技術について知りました。

発電をするのではなく、人間を電気の送電媒体にするという発案です。

これ自体については、単なる科学技術、あるいはアイディアとして考えれば、別にどうこう言うことではないのですけれど、「すでに特許が出されている」ことも知りました。

しかも、今から18年前のことです。

もちろん、特許が出されていることも、科学技術あるいはアイディアの一環として考えれば、特に問題のあることではないのですが、その特許文書が「とてもふざけている感じがする」のでした。

少しご紹介させていただきます。

なお、この特許の保持権を持つ譲り受け人は、世界最大の慈善家であるビル・ゲイツさんです。

特許は以下にあります。

米国特許番号　US 6,754,472 B1

METHOD AND APPARATUS FOR TRANSMITTING POWER AND DATA USING THE HUMAN BODY

「人体を使用して電力およびデータを伝送する方法および装置」

人体に結合されたデバイスに、電力およびデータを分配するための方法および装置が説明されています。

電力やデータが分配されるバスなどの導電媒体として、人体が使用されます。

電力は、第1組の電極を介して電源を人体に結合することによって分配されます。

電力供給される1つまたは複数の装置、例えば周辺装置も、追加の電極セットを介して人体に結合されます。

デバイスには、スピーカー、ディスプレイ、時計、キーボードなどがあります。

パルスDC信号またはAC信号を電源として使用することができます。

異なる周波数の複数の電源信号を使用することにより、異なるデバイスに選択的に電力を供給することができるようになります。

デジタルデータおよび／または他の情報信号、例えばオーディオ信号は、周波数および振幅変調技術を使用して電力信号上で変調することができます。

(US 6,754,472 B1)


先ほども書きましたけれど、このようなことは、科学技術あるいはアイディアとしての提出であるなら別にいいんですよ。

そして、

「この中の何がふざけているのか」

米国特許　US 6,754,472 B1文書の説明図
（US 6,754,472 B1）

というと、右に書いた「概要」の下にある「概念図のイラスト」です。

それが上の図です。

冗談ではなく、特許を見ればわかります。この図で説明されているのです。


これを見た時、さすがに「あのなあ」と思いましたが、それぞれの数字が書かれてある部位に配置するメカニズムは文書の下のほうで説明されていますが、

「こう来たかよ」

と、さすがに苦笑した次第です。

この絵を見て、ふと、山形大学の研究者が発見し、最近、日本のみならず世界中で報じられた「新たなペルーのナスカ地上絵」を思い出しました。

（報道）「ナスカの地上絵」新たに168点発見　山形大の研究グループ（毎日新聞　2022/12/08）

HERITAGE DAILY

Image Credit : Yamagata University

ARCHAEOLOGY

168 NAZCA GEOGLYPHS IDENTIFIED IN PERU ペルーで発見された168のナスカ地上絵

米ヘリテージ・デイリーの報道より
heritagedaily.com

この発見自体は、歴史的、科学的に大変に重要なもののようで、世界中で報じられましたが、報道で使用される写真がほとんど上のものなのでした。

日本の報道でも、この写真が多く使われていましたけれど、「なぜ発見された　168点のうちのこればかり使われる？」とは思いました。

生きる気力を抜かれたちびまる子ちゃんといった趣の絵ですが、さきほどのビル・ゲイツさんの特許のイラストにしても、ナスカの地上絵にしても、「最近、目の前に出てくるものがなんか変だ」とは思います。

最近、オーストリアでは、ブースター接種を促進するキャンペーンのキャラクター「ブースタ君」がウィーンの街に登場して、失笑を買っていましたが、当局は真剣なようです。

ブースター促進キャラのブースタ君。未接種者を捕獲して接種会場に連行します。

未接種者を追いかけるブースタ君。逃げる未接種者　boosta.diespritze

nofia.net

以下に、スウェーデンの報道を翻訳しています。
（報道）オーストリアで、ブースター接種キャンペーンキャラクター「ブースタ」君が街に登場（２０２２／12／08）

最近、こういう「頭がとろけそうになるイメージ物」がたくさん世に出現していまして、最近以下の記事でも書いたように思いますが、
「世界の視覚的な現実社会が形而上的に歪んできている」
ようには思います。
[記事] 体温33℃の世界。そして蛇の世界
In Deep　２０２２年12月6日
先ほどの特許に戻りますと、それがどんなものかは、

さきほどの「概要」の冒頭でわかります。

∨電力およびデータが分配される導電媒体として人体が使用される。

このようにありまして、人間の身体を、電流コードや、あるいは電源タップやUSBハブのように使用するようにするという方法が書かれているようです。

この特許が、今の時期にわりと話題になっている理由は、やはり「人類全体でのワクチン接種が行われた後だから」ということと関係しているのかもしれません。

体内に入れてはいけないものを入れた人類の未来

この「人体を電気送達メディアとして使用する」という響きは心地の良いものではないですが、先ほどのイラストの「本気度」からは、実施が考えられないことでもないのかもしれないなとも思います。

特許が出された18年前と現在で異なるのは、多くの人がスマートフォンなどの電磁波デバイスを常に持っていることと、日常全体に電磁波が漂っていること、などですけれど、それはまた別の話として、純粋に「最近、人体に対して起きた変化」について考えてみます。

電気の媒体というと「金属的な物質や現象」がまず想起されるところですが、これに関して、今年ドイツの科学者たちのグループが、ワクチン接種をした人たちの血液を分析しまして、その結果を発表したことを、以下の記事でご紹介したことがあります。

［記事］ドイツの分析チームが「ワクチン接種した人たちの血液分析」を実施し、未接種者の血液と比較。結果をドイツのすべての国会議員に送付。その資料の内容は
In Deep　２０２２年8月15日

通常の血液の分析では、おおむね、赤血球と、あと白血球がある……というようなのが人間の血液ですが、このドイツの分析ではいろいろと検出されていました。

いろいろなものが検出されていたのですけれど、目立つものとして、「さまざまな金属元素が検出された」ということがあります。

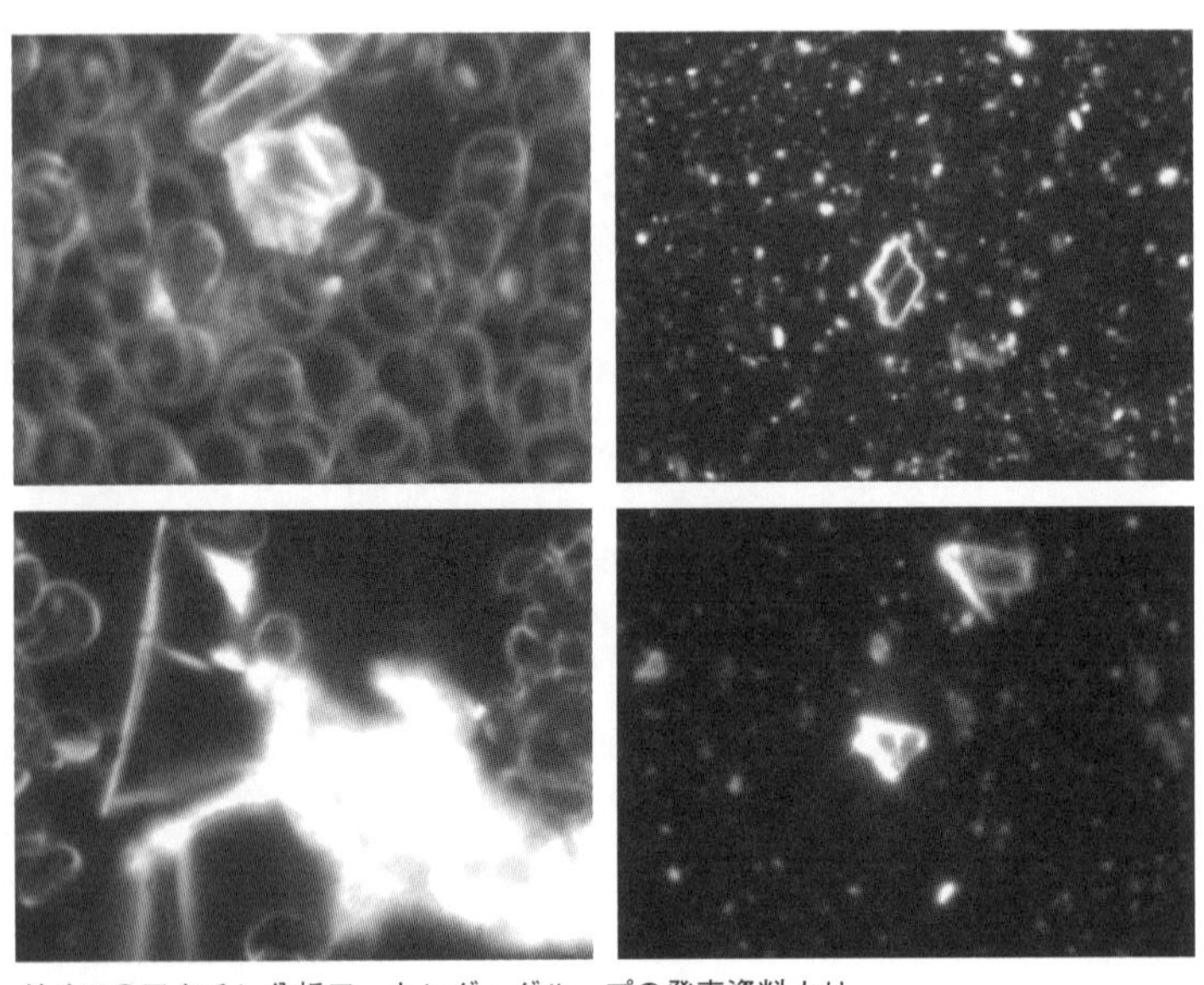

ドイツのワクチン分析ワーキング・グループの発表資料より
接種者の血液から検出されたさまざまな物質
Working Group for COVID Vaccine Analysis

少なくとも、この分析ワーキング・グループの調査した範囲では、以下の金属元素が接種者の血液から検出されたことが書かれています。

検出された金属元素
セシウム（Cs）、カリウム（K）、カルシウム（Ca）、バリウム（Ba）、コバルト（Co）、鉄（Fe）、クロム（Cr）、チタン（Ti）、セリウム（Ce）、ガドリニウム（Gd）、アルミニウム（Al）、シリコン（Si）、硫黄（S）

これはワクチンの現物の分析で

はなく、基本的には血液の分析ですので、これらがワクチンと関係しているかどうかはわかりません。

何か他の要因で、セシウムやカリウムやバリウムやコバルトやクロムやチタンやガドリニウムやアルミニウムやシリコンや硫黄が血液中に一気に入るということもあるのかもしれないですし、ともかく、接種した方々の血液からこれらが検出されたと。

もちろん、これらのような金属元素は、たとえばファイザー社などのワクチンの公式な成分表には含まれてはいません。

ただし、厚生労働省の特例承認書を見ますと、ファイザー社だけではないですが、「もともとコロナワクチンには不純物が多い」ことが確認されています。

たとえば、2021年3月に、日本で最初にコロナワクチンの特例承認書として、厚生労働省の医薬・生活衛生局医薬品審査管理課から出された審議結果報告書には、以下のようなくだりがあります（5ページにあります）。

（コミナティ筋注　特例承認書より）

2.1.5.3　製造工程由来不純物

製造工程由来不純物は、鋳型DNA、工程由来不純物A、工程由来不純物B、ATP、CTP、GTP、m1ΨTP、工程由来不純物C、工程由来不純物D、工程由来不純物E、酢酸マグネシウム、塩化カルシウム、硫酸アンモニウム、Triton X-100、トリス塩酸緩衝液、グリセロール、塩化ナトリウム、塩化カリウム、工程由来不純物F、工程由来不純物G、及び工程由来不純物Hとされた。

この中で、製造工程で除去されることが確認されているのは、「不純物A及び不純物B」だけで、他は厚生労働省部局の説明には、

>精製工程で不純物を除去できないと仮定しても、本剤の接種量に対して安全性に問題がない量であることが確認されている。

と書かれてあります。

「不純物はそのままですが、安全性には問題はないですよ」

ということです。

これらの不純物が、身体に与える影響はわからないですが、問題は、「安全性に問題がない量」とされる部分に、

＞本剤の接種量に対して

とあるのですけれど、これは、1回目接種の時の基準であり、

「人によっては、もう5回とか打っている」

わけです。

それはどうなんだろうとか。

これらの物質がすべて血流から速やかに排除されるのか、蓄積するタイプのものはないのか、あるいは物質によっては、異物排除のシステムがない器官（脳など）に行くことはあるのか、などはいっさいわかりません。

そもそも、不純物AとかBとかになっている名称のないものも多く、これらは実際には何なのかもわかりません。

まあしかし、公式の成分表に掲載されていないものを論じていても仕方ないわけで、公式の成分表に掲載されているうちで、「最も電気の媒体として使える物質」があるとすれば、

「ナノ粒子全般」

のようには思います。

とはいっても、これについて私に科学的に語ることのできる能力はなく、いくつかの論

文を見てみても根本的なところがよくわかりませんが、タイトルを見るだけでも、「何かの関係はありそう」とは思えてきます。

（2021年の論文）いくつかの酸化物ナノ粒子強化　ポリエチレングリコールPEG400流体の導電率に関する実験的研究

An Experimental Study on Electrical Conductivity of Several Oxide Nanoparticle Enhanced PEG 400 Fluid

（2015年の論文）熱エネルギー貯蔵材料としてのビショフ石のサイクル安定性を改善するためのポリエチレングリコールの使用

Use of polyethylene glycol for the improvement of the cycling stability of bischofite as thermal energy storage material

（2014年の論文）新しいポリプロピレングラフト化ポリエチレングリコールベースの酵素燃料電池からの電気エネルギー生成

Electrical Energy Generation from a Novel Polypropylene Grafted Polyethylene Glycol

Based Enzymatic Fuel Cell

接種後、一時的にしても（一時的でないにしても）全身にこのポリエチレングリコールが巡ります。

それにしても、ポリエチレングリコールに関しての文献などは以前からたまに見ますけれど、いつでも個人的な結論としては、

「こういうポリエチレングリコールみたいなものは、人体に使用しては最もいけないものなのでは」

ということでした。

そもそも優れた送達物質を使いたいのであれば、細胞から分泌されるエクソソームなど、他にいくらでも選択肢はあったと思います。

実際、エクソソームを送達剤として使ったコロナワクチンも実際に開発されているのですから。

以下は、米ノースカロライナ大学の研究者たちによる、２０２２年7月の論文を紹介した医学記事です。

（報道）肺細胞から分泌されるエクソソームをベースに経鼻投与型ＣＯＶＩＤ－19粘膜ワクチンを開発（crisp-bio　２０２２／08／26）

こちらのエクソソームのほうが格段に安全なのに、なぜ脂質ナノ粒子にこだわってきたのか。

以下のような作用があまりにもはっきりとしているのに。

これは、２０１７年の中国武漢の華中農業大学の研究者たち（武漢の大学か……）による「動物モデルの生殖器系に対するナノ粒子の毒性」という論文からです。

論文「動物モデルの生殖器系に対するナノ粒子の毒性」より

・ナノ粒子は、肺損傷、肝毒性、免疫ナノ毒性、神経毒性、腎毒性、不可逆的な精巣損傷など、動物のさまざまな障害に関連している。

・人体からのナノ粒子の部分的または全体的な排泄は、さまざまな経路を介して発生する。たとえば、肝胆道経路はリポソームの排泄に関与しており、ポリエチレングリコールでコーティングされた単層カーボンナノチューブは主に糞便と尿を介して排泄される。

（frontiersin.org）

この論文のもう少し長い抜粋は以下の記事にあります。この記事では、人間だけではなく、今後、これが環境全体にどのように影響していく可能性があるかを書いています。

便や尿を介して排泄されたポリエチレングリコールは、すべて「環境の水システムに流入」します。そう簡単には消えません。

[記事] ナノ粒子によるすべての生物への生殖機能の影響についてのメカニズムとその現実化

In Deep　2022年8月17日

なぜ、こんなものを何十億人もの人間の身体に入れる必要があったのか。

あるいは、「なぜ中国のワクチン開発者たちは脂質ナノ粒子を使わなかったのか」なども含め、いろいろと思います。

最も思うのは、「なぜ、これを止めることのできる専門家がほとんどいなかったのか」ということかもしれません。

私が、ナノ粒子を身体に打ち込むことは大変に良くないということを知ったのは接種キャンペーンが始まった昨年の話ですが、これについては、それより以前に、かなり多くの専門家の方々が知っていたはずです。

少し前の「最終的には、数十億人の命が危険にさらされる可能性がある」という記事（2022年12月7日）でご紹介させていただいた京都大学名誉教授の福島雅典（ふくしままさのり）氏は以下のように述べています。

「メッセンジャーRNAをナノパーティクル（脂質ナノ粒子）にくるんで入れることが、どれだけ危険なことか」

これを知っていた方々は、日本だけではなく、西側全体に非常に多くいらっしゃったと思いますが、接種の進行を止めることはできませんでした。

……まあ、なんだか結局、ナノ粒子の毒性の話になってしまいまして、ビル・ゲイツさんの特許の話とはあまり関係のない話（関係あるかもしれないですが）となってしまいましたが、「人体に使ってはいけないような物質を人体に使用した」ことの結果は、これから長い時間が示してくれると思います。

なぜ、このようなことが止められず進行してしまったのかと日々思います。

人工衛星の数が「7000基」を突破し、かつてない強力な電磁波が地球上に放射される

投稿日：2022年12月18日

2021年以来、日常空間は強力な電磁放射だらけに

運用されている人工衛星の数が飛躍的に増加していることを最近知りました。

次のページのグラフにありますように、現在、7000機を超える人工衛星が運用されているようです。70カ国を超える国が人工衛星を打ち上げており、特に携帯サービス用が増えているようです。

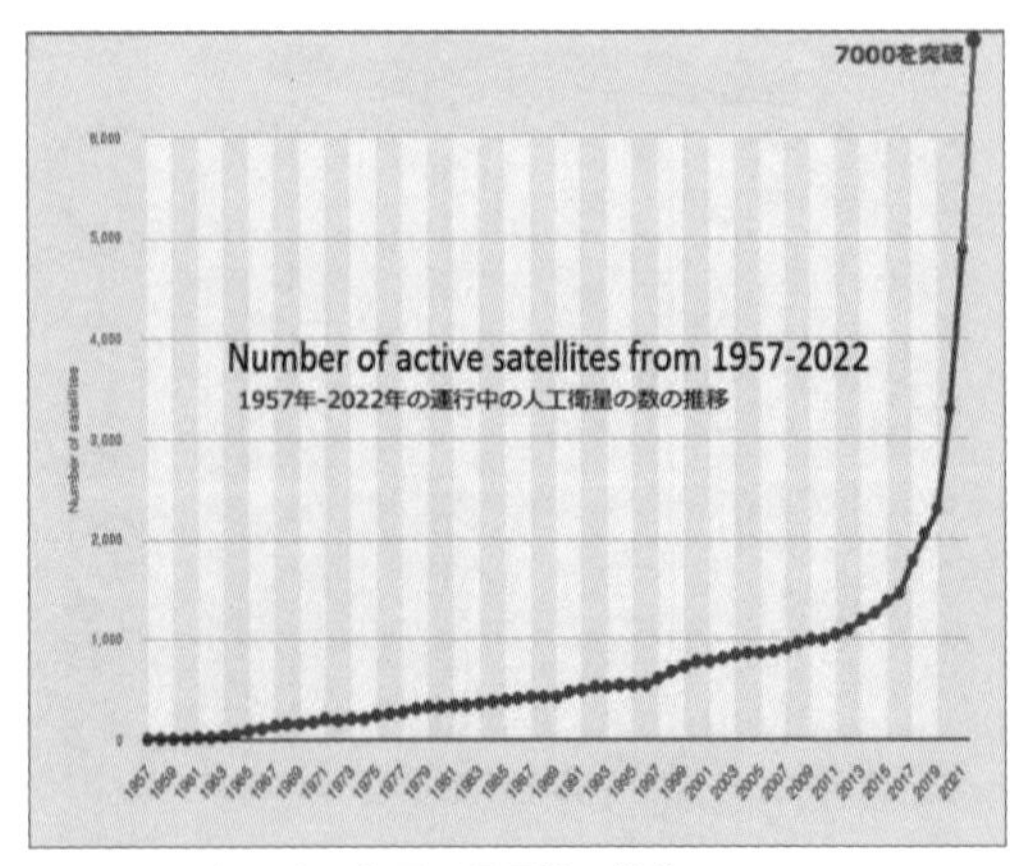

1957－2022年の人工衛星の運用数の推移
cellphonetaskforce.org

これに関して「健康との関連」を懸念している記事を見ました。

正直、その記事は、やや関連させすぎているようにも思うのですが、しかし、確かにこれだけの数の衛星が上空を飛んでいて、その多くから「過去にないような強い信号を地球などに送っている」と考えますと「まったく影響がないとも言えないかもしれない」とも思います。

なお、ご紹介させていただく記事に、2021年3月24日から25日、1日としては過去最大となる96基の衛星が打ち上げられ、インターネット接続速度が劇的に向上した日のことにふれている部分があり、そこに以下のようにあります。

（ご紹介する記事より）

>その日、世界中の人々が突然眠れなくなり、衰弱し、疲労が強くなり、筋肉のけいれんや、脚に痛みやかゆみが生じた。多くに発疹があり、めまいと吐き気があり、腹痛と下痢があった。

>耳鳴りが突然増幅された人たちも多い。目は炎症を起こし、視力は突然悪化した。不整脈があり、血圧が制御不能になった。鼻血が出たり、喀血した人もいた。彼らは不安で、落ち込んでいるか、自殺願望があり、神経過敏となった。(cellphonetaskforce.org)

この2021年3月という時期からは「別の要因もあるのでは……」と思わざるを得ない部分ではありますが（脂質ナノ粒子とかスパイクタンパク質の素が入った物質）、しかし、今回はそれにはふれません（話がややこしくなるので）。

なお、この「脈とか血圧などの身体維持のコントロールが乱れる」ということについては、以下の記事にあります「視床下部の働き」についてご参照いただければと思います。

［記事］ターゲットは視床下部：体温と身体維持システムが破壊されるメカニズム
In Deep　2022年12月10日

運用されている人工衛星の数が7000機を突破した

NUMBER OF OPERATING SATELLITES PASSES 7,000

2022年12月8日の夜、米衛星通信会社ワンウェブ社が、フロリダ州ケープカナベラルから40基の衛星を打ち上げたことにより、地球の周回軌道上にあるアクティブな衛星の総数は7000を超えた。

宇宙にあるこれらの携帯電話基地局は、地球全体の電磁環境を変化させ、地球上のすべての生命を衰弱させている。

最初に米国が打ち上げた28基の軍事衛星でさえ、1968年6月13日に運用を開始したときにインフルエンザの世界的大流行を引き起こした。香港風邪は1968年6月に始まり、1970年4月まで続き、世界的に最大400万人が亡くなった。

その理由を理解するには、私たちと宇宙とのつながりと、私たちに生命と健康をもたらし、体を動かしているものとは何かを正しく理解する必要があると思われる。

ひとつの表現としては、私たちは皆、私たちを天と地につなぐ目に見えない糸の操り人形ともいえる。その糸は、宇宙の何千もの場所から無作為に弦を変調して脈動させ、私たちが住んでいる生物圏の古くからの周波数に共鳴する。その寸法は決して変わっていない。

２０２１年3月24日から25日にかけて、混乱が新たなレベルに達した。

その24時間の間に、記録的な96基の衛星が1日に宇宙に打ち上げられたのだ。60基はスペースX、36基はワンウェブによるものだった。同じ日に、スペースXは衛星インターネット接続の速度を劇的に向上させた。

その日、世界中の人々が突然眠れなくなり、衰弱し、疲労が強くなり、筋肉のけいれんや、脚に痛みやかゆみが生じた。多くに発疹があり、めまいと吐き気があり、腹痛と下痢があった。

耳鳴りが突然増幅された人たちも多い。目は炎症を起こし、視力は突然悪化した。不整脈があり、血圧が制御不能になった。鼻血が出たり、喀血（かっけつ）した人もいた。彼らは不安で、落ち込んでいるか、自殺願望があり、神経過敏となった。

２０２１年4月15日の私のニュースレター「調査結果」は、老いも若きも、電気的感受性を自称する人々（※携帯電波から影響を受けることを自覚している人たち）も、そうでない人々も含めて、私が受け取った大量のメールの一部を引用している。

家の外にスマートメーターと5Gアンテナがあり、携帯電話から私にメールを送ってきた人は全員、同じ経験を報告しており、また、多くが、自分だけでなく、配偶者、子供、両親、隣人、友人、同僚、顧客、その他すべての人が同じような状態を報告していた。

彼らは、２０２１年の３月24日または25日に病気で疲れ果ててイライラし、睡眠に問題があることを自覚していた。

私への報告はアメリカ42州と50の国々から寄せられた。

２０２１年３月25日以降、ドイツでアオガラの死亡が急増した。

３月25日のＣＯＶＩＤ－19による死亡数は、２０２１年で２番目に多く、パンデミックが始まってから５番目に多くなった。米国での銃乱射事件の数は３月25日に急増し、３週間にわたって高い状態が続いた。

３月25日から４月13日までの間に、４人以上の犠牲者を含む平均６件の銃撃事件が毎日発生した。３月25日と３月26日には、完璧な渦巻きで静かに動く数百匹のミミズの群れが報告され、やはり渦巻きのフォームで歩く数百匹の羊の写真が撮影された。

渦巻きを形成して動く数百匹のミミズの群れ

長期にわたる痛み、病気、衰弱が非常に一般的になっているため、今では、それらが日常生活の一部として受け入れられており、無限のワクチン接種、マスクの着用、有毒な消毒剤ですべての手と表面を拭くことで対処できると世界は考えている。

渦巻きのフォームで歩く数百匹の羊
cellphonetaskforce.org

livescience.com

先週、2022年12月8日、ワンウェブが米国、ヨーロッパ、中東、アジアにサービス範囲を拡大する衛星を打ち上げた日、私は自分で体験したこと、そして地元や遠く離れた他の人々から次のことを聞いた。

過去20か月間、ある程度苦しんできた痛みと衰弱が突然激化した。私の体は、3日間ほとんど不自由だった。

2021年3月24日から25日にかけて、このようなことがどの程度、世界で広がっていたかを調査したいと思っている。似たような経験をしたことがある場合は、このメールに返信してくださると幸いだ。

スペースXとワンウェブは、これまでのところ、地球を周回する衛星の最大の艦隊を構築しているが、それらを打ち上げる唯一の存在ではない。

現在運用中の7000基の衛星は、次の国の政府または民間企業によって打ち上げられた。

アルジェリア、アルゼンチン、オーストラリア、オーストリア、アゼルバイジャン、バングラデシュ、ベラルーシ、ベルギー、ボリビア、ブラジル、ブルガリア、カナダ、チリ、中国、コロンビア、チェコ共和国、デンマーク、エクアドル、エジプト、欧州宇宙機関、エストニア、エチオピア、フィンランド、フランス、ドイツ、ギリシャ、ハンガリー、インド、インドネシア、イラン、イラク、イスラエル、イタリア、日本、ヨルダン、カザフスタン、クウェート、ラオス、リトアニア、ルクセンブルク、マレーシア、メキシコ、モナコ、モロッコ、多国籍企業、ネパール、オランダ、ニュージーランド、ノルウェー、パキスタン、パラグアイ、ペルー、ポーランド、カタール、ロシア、サウジアラビア、シンガポール、スロベニア、南アフリカ、韓国、スペイン、スリランカ、スーダン、スウェーデン、スイス、台湾、タイ、チュニジア、トルコ、トルクメニスタン、ウクライナ、アラブ首長国連邦、英国、米国、ウルグアイ、ベネズエラ、ベトナム（略）

ヨーロッパのＩＲＩＳ衛星

欧州連合は、宇宙からヨーロッパとアフリカのすべてに高速ブロードバンドを提供する独自のプログラムを開始した。

２０２２年12月5日、ＥＵ理事会と欧州議会は、Infrastructure for Resilience,

Interconnection and Security（ＩＲＩＳ）と呼ばれる１７０基の新しい衛星を打ち上げる暫定合意に達した。

「ＥＵ宇宙計画のこの新しい構成要素は、弾力性があり超安全な宇宙および地上システムを通じて、星座の南北軌道を使用するヨーロッパおよびアフリカ全体のデッドゾーンに終止符を打つでしょう」とＥＵ宇宙計画のウェブサイトは述べている。

ＡＳＴスペースモバイル

２０２２年9月10日、ＡＳＴスペースモバイル社は、これまで宇宙に投入された最大の、そしておそらく最も強力な商用通信衛星を打ち上げた。これは、地球上のどこにいても、人々の既存の携帯電話に直接接続するように設計された２４３個のブルーバード衛星の計画された艦隊の最初のものだ。

その太陽電池衛星のサイズ（64平方メートル）は、日没後と日の出前の時間に最も明るい星と同じくらい明るいため、天文学者たちの間で警戒を引き起こしている。

これまでのところ、ＡＳＴスペースモバイル社は、楽天モバイル社、ＡＴ&Ｔ、ベル・カナダ社、テレコム・アルゼンチン社、アフリセル社、リバティ・ラテンアメリカ社、オレンジ社と協力して、18億人の携帯電話加入者という潜在的な顧客基盤を築いた。

ブルーバード衛星からの非常に強力な信号には、電波天文学者だけでなく、健康に対しての懸念を抱く人たちも多い。

ASTスペースモバイル社が提出した資料によると、各衛星の実効放射電力は最大8300万ワットになり、私の計算によると、そのようなビームからの地表での被ばくレベルは最大3ナノワットに達する。

これは、サンタフェにある私の自宅から最も近い携帯電話基地局から受ける放射線の100倍だ。

ASTスペースモバイル社のCEOであるアベル・アベラン氏は以下のように述べている。

「住んでいる場所や働いている場所に関係なく、すべての人たちが携帯ブロードバンドにアクセスする権利を持つべきです。私たちの目標は、世界中の数十億人の生活に悪影響を与える接続のギャップを埋めることです」

アヴェランCEOに異議を唱えたい。

すべての人たち、すべての動物たち、すべての植物たちは、地球の自然周波数から得る権利を持ち、宇宙からの人工放射線にさらされない権利を持つべきだ。

ここまでです。

うーむ……。

私は、被ばくレベルの数値のことはよくわからないですが、この方が書かれているようなな、

＞自宅から最も近い携帯電話基地局から受ける放射線の100倍だ。

というものが宇宙から降り注いでいるのだとすれば、逃げ場ナシですね。

このASTスペースモバイル社の衛星は、右の記事によりますと、楽天モバイルも使用しているようですので、日本も直撃を受けていますね。

また、実際に「携帯電波へのアレルギー（電磁波過敏症）」を持つ方々が、現実にかなり多くいらっしゃるわけで、そういう方々の体調、精神面の「昨年来の変化」はどうなんだろうとも思います。

この電磁波による過敏症ということは、それ自体を否定する研究もあり、Wikipedia などに出ています。

＞電磁波に対する否定的な思い込みがもたらす自律神経失調症を超えるものではなく

……（電磁波過敏症）

しかし、一方で、特に「ガンとの関連」は古くから示されていまして、１９７０年代という時代のアメリカの研究でも、「ガンと電磁波の関係」は、マウス実験などでかなり強く示されていて、それ以降も同様の結果を示すものがあります。

ページ「ロス・アディ」より

Ross Adey（１９２２－２００４）

ロス・アディ氏は、カリフォルニア大学ロサンゼルス校の脳研究所で、国防総省の「パンドラ計画」に協力した。パンドラ計画は、マインドコントロールに電磁放射を使用する方法を模索した極秘プログラムだ。

１９７０年代後半、アディ氏は、カリフォルニア州にある病院に新しい研究室を設立し、そこでは、ガンの促進における電力周波数の役割、および、携帯電話の電磁放射が細胞に曝露した後の潜在的な発ガンリスクに関する研究を実施した。

アディ氏は、携帯電話の放射線への長期曝露に関する研究で、携帯電話からの放射線の曝露からマウスを保護すると、マウスの腫瘍の発生が少なくなることを発見した。

これについては、アメリカ国防総省の「パンドラ計画」というものについて書かせていただいたものが以下にあります。

［記事］「パンドラ計画」と5G
In Deep　2020年6月6日

なお、この「ガン」との関係は、つい最近もニュースになっていました。

国際がん研究機関（IARC）は、RF放射のがんリスクを再評価するか、それとも、しないか
microwavenews.com　2022/12/12

11月23日、国際がん研究機関（IARC）の局長は、高周波（RF）放射線と、がんを関連付ける証拠の新しい評価が2024年初頭に行われる可能性が高いことを明らかにした。数か月以内に、正式な決定が下される可能性がある。

国際がん研究機関による新しい評価を求める声は、RF放射への生涯曝露後の腫瘍数の増加を示す2つの大規模な動物研究の発表後からの数年間、高まっている。

多くの人たちは、動物実験は当局にほとんど選択肢を残さず、がんリスク分類を現在の「可能性」から少なくとも1レベルあげた「可能性あり」、またはおそらくその最高分類である「既知のヒト発がん性物質」に引き上げるしかないと考えている。

しかし、局長がパリでの会議で発表を行う際に明らかにしたように、代わりにRFがんのリスクが格下げされる可能性も残されている。

ここにある「曝露後の腫瘍数の増加を示す　2つの大規模な動物研究の発表」は、おそらく、以下の　2018年の記事でご紹介した、アメリカ国家毒性プログラムとイタリアの毒性研究所による研究だと思われます。

［記事］携帯・スマートフォンの基地局からの放射が「特別な発ガン性を持つ」ことがアメリカ政府内「国家毒性プログラム」とイタリアの著名な毒性研究所による史上最大の研究によって判明

In Deep　2018年8月19日

この記事のことを忘れていましたけれど、今日思い出しました。

そうそう……。そうなんです。

この2年、脂質ナノ粒子とスパイクタンパク質の存在が大きすぎて、最近いろいろと過去に書いたことを忘れていました。

基地局からの放射って体にあまり良くないことも忘れていました（おいおい……）。

自分の名前も最近は忘れてしまいます（おいおい……）。


まあ、多くの人たちの体調が今ひとつなのは、これら脂質ナノ粒子とスパイクタンパク質の強力タッグと共に、

・過剰な消毒
・マスク

などの影響が強いと思い続けていたこの2年、3年でした。

もちろんこれらは体に悪いものであり、その事実はまったく動きません。

しかし、そこに加えて、

「現在、宇宙から過去最強の携帯の電波が降り注ぎ続けている」

ということになるという……。


総力戦で身体にダメージが与えられているという感じになっているのでしょうか。

いやあ……。実際これで健康であり続けることは難しそうです。

かなりの地方や田舎やジャングルの中とかにも「宇宙から電磁放射線がやってきている」ということになると言えます。


もしかすると……

お手上げ？（イヤなあきらめ方すんなよ）

今後もヨーロッパなどで、さらに携帯用の衛星が打ち上げられるようですし、他の国でも増えることはあっても減ることはなさそう。

このような危機を打破する方法はひとつしかないのかもしれません。

それは、地球のそれに関するシステムが破綻することです。

経済でも、他の何かでもいいですが、「携帯どころではない」というようなところまで行き着けば、少しは収まっていくのかもしれません。

あと、太陽活動がメチャクチャ活発になって、多くの人工衛星の機能が破壊されるとか。

←これは数年内にはそれなりに可能性が高そう。

というのも、すでに太陽活動で結構な数の衛星が破壊されているんですよ。

今年2月には、スペースXの人工衛星40基が機能停止しています。

（報道）マスク氏のスペースX、「太陽嵐」で人工衛星40基が機能停止（ロイター　2022／02／10）

太陽嵐というのは、「磁気の塊」ですので、弱いんですよ、人工衛星も、他のいろいろな「電気で動く人工物」は。

ちなみに、最近の数日間の太陽の挙動は、「太陽活動の最大期には何が起きるか」を示唆しているような活動が続いていました。

今年最大のMクラスのフレアの連続が起きていたのです。

（報道）過去48時間のMクラスの太陽フレアの発生回数が14回に達する（2022／12／

16）

その後20回以上のMフレアを発生させて、現在は落ち着いています。

これがMフレアではなく、最大カテゴリーのXフレアがこんなに連続した場合、かなりの影響が出るとは思います。

それが起きるとすれば、2年後か3年後くらいからですかね。

ちなみに、太陽活動の高さと「病気」も関係していまして、太陽活動の激しい時は「心臓疾患による死者が急激に増える」ことが、１９７０年代の研究で示されています。

三菱ＵＦＪモルガン・スタンレー証券参与、景気循環研究所長の嶋中雄二さんの名著『太陽活動と景気』に、ロシアとフランスの１９７０年代の研究が以下のように示されています。

嶋中雄二『太陽活動と景気』より

ロシアのペテルブルグ市とスヴェルドロフスク市における救急車の出動記録によれば、太陽活動が活発な日には、静穏な日に比べて、心筋梗塞と狭心症の発作が約20％多い。

また、ロシアのいくつかの都市における多数のカルテを統計的に処理した結果、入院患者数は、太陽活動が盛んになる時期に増加していた。

フランスの医師サルドゥーと天文学者ヴァロの二人は276日の期間をとり、心筋梗塞や卒中発作などが、黒点が太陽の中央子午線を通過したときに、84%の確率で起こることを明らかにした。

マリンとスリースターヴァは、1979年、こうした線に沿って、より長期間のデータの分析を行った。

彼らは、1967年から　1972年の6年間にわたって、二つの病院に入院した5000件の救急心臓症例を、毎日の地磁気活動指標と関連づけた。

話がズルズルと逸れてきましたが、久しぶりに、携帯電波の影響というものを思い起こすことができました。

今はそれらが宇宙から過去最大級に来ていることも知りました。

そして、現時点では逃げ場がないことも。

Part 4

UFO関連情報

――国防総省、FBIはエーテル性の惑星（異次元）よりの飛来であると認めていた！

米上院特別委員会が「ＵＦＯは異次元空間の物体である」と発表

投稿日：２０２２年９月４日　更新日：２０２２年９月１７日

米上院特別委員会がＵＦＯは人間由来ではないと全会一致で認識

なんか、すげータイトルの記事になっていますが、まあ、私の住む埼玉県ロータスガッデム市あたりでは（いい加減にしろ）宇宙人は、普通に働いていまして、宅配便の配達員の方に偽装したりしていることを最近聞きました（いい加減にしろ）。

さて、最近、アメリカ議会の上院特別委員会が、「現在、認識されている未確認飛行物体は、人間による製作物ではなく、宇宙あるいは異次元から来たものである」と、全会一致で同意したことをアメリカの大手メディアＶＩＣＥ

が先日報じていました。

未確認飛行物体というものは、いろいろと検知されているわけですけれど、アメリカ国防総省の以前の認識では、

「他国の軍事的な脅威の可能性がある」

とする考え方が主流でしたけれど、今回の議会の結論の衝撃は、

「UFOは、外国の兵器ではなく、異次元あるいは物理的な宇宙空間からの物体」

であることを認識したことになり、アメリカ議会は「宇宙人がやってきている」という結論に達したという部分でしょうかね。

もともと、最近のアメリカの動きはそれを感じさせるもので、今年7月の以下の地球の記録の記事では、アメリカ国防総省が、「未確認飛行物体現象」に対応するための新しい部局の設立についての国防総省のニュースリリースをご紹介しています。

「記事」アメリカ国防総省が、未確認飛行物体に対応する新しい部局「全領域異常解決局」の設立を発表

地球の記録　２０２２年７月26日

ニュースリリースには以下のようにあります。

（国防総省の７月20日のニュースリリースより）

全領域異常解決局（ＡＡＲＯ）の使命は、国防総省全体、および他の米国連邦省庁との取り組みを同期させ、軍事施設、作戦地域、訓練地域、特別な用途にある、またはその近くにある関心のある「物体」を検出、識別、および帰属させることだ。

これは、空域およびその他の関心のある分野、および必要に応じて、作戦の安全および国家安全保障に対する関連する脅威を軽減するためのものだ。これには、空中、水中などの異常な、識別されていない、あるいは中程度に識別された物体が含まれる。

（U.S. Department of Defense）

ちなみに、私自身は、物理的な宇宙空間から宇宙人あるいはエイリアンがやってくるという概念については、「まったくそう思うことはない」です。

つまり、遠くの宇宙から宇宙人がやってくるというような概念ですが、そのようなことはまるで存在しないと考えています。

来るのならば、

「異次元あるいは平行宇宙から」

しかあり得ないと考えていますが、この理由は、まあ遠い宇宙から時間をかけてやってくるというような「不可能性」が最大の理由とはいえ、しかし、準拠しているのは、1960年代のアメリカ連邦捜査局（FBI）の文書ファイルによります。

アメリカの機密資料は（ものによるでしょうけれど）50年後に機密指定が解除されるようなのですが、1966年のFBIの「UFO」というタイトルの機密書類が、2016年に機密指定を解除されて公開されました。

以下のブログ記事の本題は、このことではないですが、途中でこの書類のことにふれています。

［記事］NASAのアポロ計画のすべての公式通信記録が機密指定解除。そして、そこに残される「宇宙飛行士たちが月で経験し続けた謎と驚異の世界」

In Deep 2016年8月6日

機密指定解除がされ公開されたFBIのUFOに関しての文書の表紙 FBI

機密指定が解除された書類そのものは以下にあります。

UFO－FBI

それで、この書類には以下のように記されているのです。

FBIの機密文書の中にある内容の一部

・一部の円盤は乗員を運ぶ。他の円盤は遠隔操作される。
・彼らの使命は戦争のない世界をもたらすことだ。訪問者たちは地球の和平を模索している
・これらの訪問者たちは、ヒトのようだが、サイズがはるかに大きい。
・彼らは地球の人々を非難してはいない。彼らは自分自身が所有する世界からやって来ている。
・円盤は、放射エネルギーのいくつかのタイプを持っている。
・彼らは、私たちがしばしば使うような意味での任意の「どこかの惑星」から来ているの

ではない。彼らは、彼ら自身にしっかりと浸透しているエーテル性の惑星から来ている。その世界は私たち（地球の人間）には知覚できない。

・訪問者たちの体と乗り物は、私たちの高密度物質の振動率に入り、実体化されたものだ。

・彼らは意志でエーテル性を再入力し、跡形もなく私たちの視界から簡単に消えてしまうことができる。

（ＦＢＩ）

１９６０年代のＦＢＩは、

「ＵＦＯはどこか他の星から来たものではない」

ことを認識していたことがわかります。

＞彼ら自身にしっかりと浸透しているエーテル性の惑星から来ている

と、わかりにくい表現となっていますが、いわゆる「異次元」ということです。

そして、それはこの物質地球にやってくると「実体化する」と書かれてあります。

ちなみに、当時のＣＩＡ（アメリカ中央情報局）は、どのような見識だったかというと、以下の２０１７年の記事で、50年前の　ＣＩＡ副局長の「ＣＩＡはＵＦＯ現象をどのように見ているか」という文書を掲載したことがあります。

[記事]「エイリアンの侵略」：米国政府当局はおそらくUFOのことを何も知らない。そして、それらの「正体」はニューヨークの聖母マリアが語ったことにあると確信する今

In Deep　2017年12月20日

1967年までCIA副局長補佐という地位にあったビクター・マルケッティさんという方の文書ですが、「なぜ、政府はUFO、あるいは地球外生命体の情報を隠そうとするか」という理由を書いています。

すべての文章は右の記事にありますが、マルケッティさんは以下のように述べています。

CIA副局長補佐の1979年の文書より抜粋

……私自身の経験だけでいえば、仮にUFOが存在していたとしても、自分にはそれはわからない。私は見たこともないし、それらが本当に存在するという決定的で経験的な、あるいは物理的な証拠を見たことがない。

しかし、私はCIAとアメリカ政府が何年ものあいだUFO現象を懸念してきたことを

知っている。そして、その試みは、過去と最近の両方で、それらの現象の重要性の価値を下げ、アメリカ政府は公式にはＵＦＯに関心がないということを明らかにするために古典的な情報隠蔽のかたちをとっている。

私自身の主張は、地球は実際に地球外生命体によってコンタクトされ続けており、おそらくは訪問もされている。そして、アメリカ政府は地球の他の国家権力と結託して、この情報を一般の人々から隠蔽することを決定している。

この隠蔽のような国際的な陰謀の目的は、世界各国の間でその国家システムの安定を維持することができるようにするためのものである。これはつまり、各国の国民に対しての体制による制度的支配の維持を持続可能とするためのものだ。

たとえば、これらの政府が、宇宙から私たちにコンタクトしようとしている知的な存在を認めたとしよう——それは地球の人間よりはるかに優れている精神力と技術力を持つかもしれない生命体が存在することを認めたとして。そして、その地球外生命体の存在が各国の一般の人々によって完全に認識された場合、世界の国家の伝統的な権力構造の基盤が侵食される可能性があるのだ。

（In Deep）

ここに、
＞その地球外生命体の存在が各国の一般の人々によって完全に認識された場合、世界の国家の伝統的な権力構造の基盤が侵食される可能性があるのだ。

とありますが、ＣＩＡの見解では、アメリカ国家として、少なくとも「知られたくない」という見解だったようです。

しかし、今はどうも、「やたらと地球上に出現している」ようなんですね。

そのようなこともあり、先ほどの地球の記録の記事でご紹介しました「全領域異常解決局」というようなものも緊急に創設されたのかもしれません。

今後、「アルツハイマーvsエイリアン」という、ハリウッド映画でも見たことのないような劇的な展開があるのかもしれないですね。

そういえば、アルツハイマーという言葉とは全然関係のない方ですが、アメリカの……お名前を忘れましたけれど、アメリカの大統領の、9月1日の演説が、
「血のような真っ赤な背景での演説だった」
ことが、アメリカで大変に話題となっています。

2022年９月１日のアメリカ大統領の演説ライブより　CNN

この感じは、もう「時代」ですねえ。

これで、後ろの星条旗の星が「逆五芒星」だったら、完ぺきですが、画像が悪くて、それは確認できませんでした。米国民主党は伝統的に逆五芒星を意図的に使ってきましたので。11年前のIn Deepの記事（２０１１年３月11日）に写真等を掲載したことがあります。

まあ、こんな話はどうでもいいことだったですが、次々と現れる宇宙人たちに、米国当局も対応を進めているようです。

しかし、対応を進めてどうなるものなのかどうかは不明としか言いようがありません。

米ＶＩＣＥや他のサイトの記事を引用していたゼロヘッジの記事をご紹介して締めさせていただきます。

アメリカ議会はＵＦＯが「人間が作ったものではな

い」ことを認め、「脅威」は「指数関数的に」増加していると述べた

Congress Just Admited That UFOs Are Not "Man-Made", Says "Threats" Increasing "Exponentially"

zerohedge.com 2022/09/02

米国の諜報機関の新しい支出計画には、未確認飛行物体（ＵＦＯ）の調査を、軍が分類できない種類の物体に集中させるようペンタゴンに指示することが含まれている。

空に奇妙な光が何年にもわたって発見され、ＵＦＯに関する海軍パイロットからの直接の証言があり、政府による調査が行われた後、議会はリリースで予想外のことを認めたようだ。

２つの衝撃的な主張が議会によって行われたばかりだが、それらは２０２３年会計年度の情報権限法に追加された報告書の奥深くに埋もれていた。この法律は、米国の「秘密作戦」を監督する予算だ。

１つ目は次のとおりだ。

「米国の安全保障に対する領域を行き交う領空侵犯規模の脅威は指数関数的に拡大している」

２つ目の理由は、人間に由来する地球外生命体とそうでないものを区別したいからのよ

うだ。

「一時的な属性のない物体、または分析後に、人工（人間によるもの）であることが明確に識別された物体は、適切なオフィスに渡され、未確認の飛行あるいは海底現象としての定義の下で考慮されるべきではない」

と文書から読める。

ＶＩＣＥによると、この承認は多くの理由で特に衝撃的であり、その最も重要な理由は、米国政府によるＵＦＯの調査に関する詳細が一般に公開されるにつれて、多くの政治家たちが避けてきたことが明確にされていることだ。

それは、これらの未確認の物体は別の惑星または別の次元から発生したと主張していることにある。

これまでのところ、ＵＦＯをめぐる受け入れ可能な発言は、未確認飛行物体（ＵＦＯ）の存在は、人間によって作られた精巧な乗り物であるというものだった。

ＶＩＣＥが指摘しているように、例えばジェームズ・コーデン氏のレイト・ショーでエイリアンの可能性について明確に迫られたとき、オバマ氏は地球外生命体の存在を肯定することを拒否したが、人々が最近空で多くの珍しいものを見たと付け加えている。一方で、議会は、「人間によるもの」と「人間由来ではないもの」とを明確に区別したいと考えているようだ。

米国防総省の説明によると、「クロスドメイン・トランスメディア」(※空や海を行き交う物体)の危険とは、水中から大気、さらには宇宙へと、私たちが予測または制御できない方法で移動する可能性があるものだ。7月、国防総省は、全領域異常解決局(AARO)を設立して、これらの危険を調査する予定であると発表した。

これは、昨年取り上げた、米国海軍は、国防総省のUFOレポートの前に、「数百マイル(数百キロ)水中を移動する物体を検出した」というタイトルのトピックと関係がある可能性がある。政府がUFOを指すために使用する用語である未確認の空中現象は、この法案の下で未確認の航空宇宙――海底現象に改名され、ペンタゴン内のオフィスも新しいタイトルを反映するように改名される。

リークされた後に国防総省によって認証されたビデオは、昨年、未確認飛行物体(UFO)が音を立てずに水の上と下を滑空しているように見える。

アメリカ上院特別委員会の副委員長を務め、これらの情報を監督し、報告書の公開に責任を負うマルコ・ルビオ上院議員は、UFOが敵対的な軍用機ではなく地球外生物であると考えていると公に述べた。

もちろん、なぜ議会がこの遅い時期に公の場でこれを認めているように見えるのかは、重要な問題だ。

立法者たちは、一般大衆がアクセスできない機密情報にアクセスできる。

オバマ政権下で国防総省の役人を務めたマーリック・フォン・レネンカンプフ氏によって書かれた予算に関するメディアThe Hillの意見記事には、次のような引用が含まれている。

「立法者たちが説得力のある証拠なしに、公の立法にそのような並外れた言葉を含めるのは、信じがたいことだ」

この意見記事によると、UFO研究者のダグラス・ジョンソン氏は、最初にその発言に気づいたと言われており、以下のように書かれている。

「アメリカ政府の一部門が、UFOが人間以外の起源を持っていることをほのめかしていることは、衝撃的な展開だ」

アメリカに続き、ウクライナでも国立科学アカデミーが「上空に未確認飛行物体が集まり続けている」とレポートを発表

投稿日：2022年9月17日　更新日：2022年9月18日

ウクライナ国立科学アカデミーからの報告

最近、何だか「未確認飛行物体」に関しての公式な話題が多くなっています。

少し前にも、アメリカ上院の特別委員会が、未確認飛行物体について、「人工（地球の人間が作製したもの）ではない」という統一見解を発表したことを以下の記事でご紹介しました。

［記事］宇宙人がたくさんやってくる……
In Deep 2022年9月4日

2020年、ウクライナ・キエフの夜空　livescience.com

今度は、数日前のライブサイエンスに、「未確認飛行物体が上空で多数観測されるとウクライナ政府報告書が主張している」という内容の報道がなされていました。

ライブサイエンスは、非常に由緒正しい科学メディアです。

そして、その報告書、というより、ほとんど「論文」なのですが、その書類にもリンクされていました。書類を作成したのは、ウクライナ国立科学アカデミー（NAS）で、ウクライナで最も格式の高い科学機関だと説明されています。

報告書は以下にあります。

Unidentified aerial phenomena I. Observations of events

未確認の空中現象、事象の観測

arxiv.org 2022/08/23

日本語に機械翻訳したものを以下にアップしてあります。

https://nofia.net/unidentified-aerial-phenomena.pdf

報告書の冒頭に以下のようにあり、NASAについてふれています。

ウクライナ国立科学アカデミーの報告書より

NASAは、これらの既知の自然現象としては科学的に特定できない事象の観測された未確認空中現象（UAP）の調査を研究チームに依頼した。

ウクライナ国立科学アカデミーの主な天文台も、UAPの独立した研究を行っている。UAP観測では、キエフとキエフ地域南部のヴィナリフカ村に設置された　2つの流星観測所を使用した。観測は日中の空でカラービデオカメラで行われ、UAPの特性を検出・評価するための特殊な観察技術を開発した。

私たちのデータによると、UAPには2つのタイプがあり、通常、

（1）コズミック（※宇宙、の意味）

（2）ファントム（※幽霊、の意味）

と私たちは呼んでいる。また、これらの飛行物体を鳥の名前（ツバメ、ハヤブサ、ワシ）で呼んでいる。

ファントムは暗い天体で、コントラストが数パーセントから約50パーセントだ。ここから、幅広いタイプのUAPをご紹介する。私たちは上空のどこにでもそれらを見ている。

（arxiv.org）

ウクライナ国立科学アカデミーは、未確認の飛行物体をUFOではなく、UAP（未確認空中現象／Unidentified Aerial Phenomena）と呼んでいます。

また、報告書のその下には、以下のくだりがあり、最近のアメリカの国防総省の動きについてもふれています。

（ウクライナ国立科学アカデミーの報告書より）

アメリカ国防総省はUFOに関心を持っており、「全領域異常解決局（AARO）」を創設した。AAROの使命は、航空安全と国家安全保障への脅威に関連する、軍事目的の空域内のオブジェクトを検出、識別、および特定するために、国防総省およびその他の米国連邦省庁および機関の取り組みを同期させることだ。これには、空中、宇宙、水中の未確

認の異常、およびトランスメディアオブジェクトが含まれる。(arxiv.org)

この「全領域異常解決局」というのは、以下の記事でご紹介した、アメリカ国防総省の新しい組織です。

［記事］アメリカ国防総省が、未確認飛行物体に対応する新しい部局「全領域異常解決局」の設立を発表

地球の記録 2022年7月26日

今回のことは、場所が場所であり……つまりウクライナの話ということもあり、単なるUFO話として扱っていいものかどうかは難しい部分がありますが、こうも、各国で、UFOが公式に調査、あるいは「地球人由来ではない」というような話が広がってくると、何だか怪しい部分も感じないではありません。

いろいろ思うところもありますが、まずは、ライブサイエンスの記事をご紹介します。ライブサイエンスは、地球外由来であることを全力で否定しています。

「コズミック」と「ファントム」と呼ばれるＵＦＯがウクライナの空全体にある、と政府報告書は主張している

'Cosmic' and 'phantom' UFOs are all over Ukraine's skies, government report claims

livescience.com 2022/09/15

ウクライナの天文学者たちが、「科学的に特定できない」数十の天体を観察したと発表した。

ウクライナ国立科学アカデミーの主要天文台からの新しい報告によると、キエフ上空に、未確認飛行物体（ＵＦＯ）が群がっているという。

もっとも、ロシアとウクライナが航空機とドローン偵察機に大きく依存する数か月にわたる戦争に巻き込まれているという現状を考えると、これらのいわゆるＵＦＯの多くは、軍事ツールである可能性が高いとも推測できる。

ａｒＸｉｖにプレプリントで公開されたこの報告書は、まだ査読されていないが、ウクライナの天文学者たちが、キエフとその周辺の村の上空で、動きが速く、視界の悪い天体を監視するために取った最近の手順について説明している。

この報告書によると、キエフと約１２０キロ南にある村ヴィナリフカにある２つの観測

所に設置された特別に調整されたカメラを使用し、天文学者たちは「既知の自然現象として科学的に特定できない」数十の天体を観測した。

ウクライナ政府機関は、このようなオブジェクトを「未確認航空現象」の略であるUAPと呼ぶ傾向がある。

研究チームは、「我々は、性質が明らかでない天体をかなりの数、観察している」とし、「私たちはどこでもそれらを見ている」と書いている。

研究者たちは、UAP観測を「コズミック（宇宙）」と「ファントム（幽霊）」の2つのカテゴリに分けている。

報告書によると、「コズミック」は背景の空よりも明るい発光体だ。これらのオブジェクトは、「アマツバメ」、「ハヤブサ」、「ワシ」などの鳥の名前で指定されており、単独で飛行していることが観察されている、とチームは書いている。

対照的に、「ファントム」は暗い物体であり、通常は「完全に黒」に見え、あたかもそれらに当たるすべての光を吸収しているかのように見える、とチームは付け加えている。

参加している2つの観測所からの観測結果を比較することにより、研究者たちは、ファントムのサイズの範囲が3メートルから12メートルで、最大時速5万3000㎞で移動できると推定した。

比較すると、大陸間弾道ミサイルは最大時速2万4000㎞に達することができる。研究者たちは、これらのUFOが何であるかについての推測はしていない。むしろ、彼らの論文は、オブジェクトを検出するために使用される方法と計算に焦点を当てている。ただし、アメリカ国家情報長官室（ODNI）の2021年の報告書によると、少なくともこれらの一部のUAPは「中国、ロシア、その他の国、または非政府組織によって展開された技術」である可能性がある。

2022年2月に始まったロシアのウクライナ侵攻が進行中であることを考えると、ウクライナの報告書で説明されている一部のUAPが外国の監視または軍事技術に関連している可能性があると疑うのは合理的だ。

アメリカ国家情報長官室の報告書によると、UAPの原因として他に考えられるのは、鳥や気球などの「空中浮遊物」だ。あるいは、氷の結晶などの大気現象。または機密の政府プロジェクトの可能性もある。米国もウクライナの報告も、地球外からの訪問者の可能性を提起してはいない。

アメリカ政府は、米海軍の航空機が撮影した複数のビデオがメディアに流出した2017年以来、UAP調査への関心を公然と更新してきた。この今や悪名高いビデオは、正体不明の航空機が一見不可能な方法で動いていることを示しているが、それについての説明はない。

その後、アメリカ政府は映像の機密を解除し、最近、UAPとの遭遇の軍事映像がさらに存在することを明らかにしたが、国防総省は「国家安全保障上の懸念」のためにそれらを公開していない。今年初め、アメリカ議会は、米軍によるUFO目撃報告の管理に特化した新しい機関を開設するための国防総省への資金提供を承認した。

ウクライナからの新しいUAPレポートの著者たちは、ウクライナ国立科学アカデミーがこの進行中のアメリカの研究への貢献に関心を持っていると付け加えた。


ここまでです。


ライブサイエンスは「地球外の由来」であることを否定していまして、

＞米国もウクライナの報告も、地球外からの訪問者の可能性を提起してはいない。

とありますが、先ほどの記事でご紹介しましたように、アメリカ上院特別委員会は、

「UFOは、地球由来ではない」

と明確な方向性で一致したことがあったり、あるいは、右の記事には、

＞UAPの原因として他に考えられるのは、鳥や気球などの「空中浮遊物」だ。あるいは、氷の結晶などの大気現象等

と書かれていますが、以下の一文で、それらの説明の可能性は消えてしまいます。

＞時速5万3000㎞の速度で移動できると推定した。

時速5万キロで飛ぶことのできる鳥やドローンは、知られている中では存在しないと思われます。

しかし、時速5万キロってすごいな……。

地球の一周の距離が、約4万キロですので、1時間で、地球を一周以上できる？

地球から月までの距離が約38万キロですから、月まで7時間ちょっとでいける。

7時間って、日本からハワイまで飛行機で乗るくらいの時間でしょうかね。

7時間は、東京から新幹線で大阪まで行って、1時間くらいご飯を食べて帰ってくるくらいの時間ともいえます（どんどん話が小さくなるな）。

ああ……でも、思い出しましたけど、

「非常に高速の飛行物体が、地球上を飛行しているかもしれない」

といういうことについて、２０１７年のアメリカＡＢＣニュースの撮影記者が、偶然「気づいた」ということがありました。こちらの過去記事（In Deep ２０１７年12月19日）にありますが、その際のＡＢＣニュースの内容は以下のようなものでした。

デンバー支局のフォトジャーナリストがキャッスルロックの空で何か奇妙なものを撮影した

Denver7 photojournalist captures something strange in the skies over Castle Rock

ABC 2017/12/05

これは何が起きていたというのだろうか。ＡＢＣデンバー局のフォトジャーナリストであるドミニク・リー氏が撮影したこのビデオは、それが何であるのかが、私たちには誰にもわからないものだ。一体何なのだろうか。

リー氏は12月4日の午後、コロラド州ダグラス郡の教育委員会の投票の取材のために、キャッスルロックに赴き、撮影することが許可されたビルからカメラを構えていた。リー氏のカメラは崖の北東に位置していた。その後、リー氏は、日の出の時間経過のビデオを撮影し始めたが、撮影していた時には何も見えなかったという。

リー氏が自宅でビデオの編集を始めた時に、初めてそこに不思議で動きの速い物体をリー氏自身が撮影していたことが明らかになったのだ。

動画では、2つの物体が北から南へと移動しているように見える。その速さはいかなるタイプの飛行機でも、このようにはうつらない。

ABCのニュースルームで議論された可能性として、鳥や昆虫ではないかというものがあったが、対象物が移動するスピードからその可能性はないということになった。そもそも、この日のキャッスルロックの気温は氷点下で、昆虫が移動するには厳しい状態だ。

私たちの可能性の羅列に何かが欠如しているのかもしれないが、視聴者の皆さんはどのように思われるだろうか。

ABC

右の記事には動画はなくなっているのですが、上は、その撮影した動画を「数十分の1だったかのスローモーションをかけた」ものです。肉眼では見えません。

当時、YouTubeにその際のABCニュースの動画があり、そこにどのくらいスローモーションにしたのかの説明があったのですが、さきほどアクセスしましたら「動画を再生できません。この動画は非公開です」となっていました。肉眼ではまったく見えない速さではありました。

まあ、今回の報告書は、ウクライナから出されたものですけれど、本当に時速何万キロもあるものなら、それが存在する場所は出現した国に限定されたものではないとは思います。

それぞれの国で、ウクライナ国立科学アカデミーが使用した方法と同じ手法で観測した場合、同じような観測結果が出るのではないでしょうか。

その正体が何かはともかく、ウクライナの科学者たちは「どこででも見られる」と述べているわけですから、他の国でも同じような気がしています。

最近の話は、アメリカもウクライナも「公的な機関からの発表」ということもあり、今後もこの手の話は多く出されてきそうな気がします。

しかし、未確認なんですから、それが何かが確認されるまでは、話半分に聞いていていてもいいように思います。

何かの大きな話題で人びとの注意をそこだけに向けるという手法が、パンデミックを含めて、21世紀に何度も繰り返されていますが、そういうものに使われるのも厄介です。

Part 5

近未来に関する情報

——ドイツ、EU 全体を崩壊させるためのロシア制裁、その首謀者はアメリカ！

スウェーデンの新聞社が報じた「ヨーロッパの壊滅を計画したのはアメリカである」との漏洩文書

投稿日：2022年9月18日

対ロシア制裁に至るメカニズム

非常にショッキングな報道を最近知りまして、たとえば、最近よく書かせていただきますように、ヨーロッパはすでに回復の目処が立たないような壊滅の渦中にあるわけですが、これが計画的だったということに関しての文書が漏洩したことが報じられていたのです。

そして、その内容は一言でいえば、

「ヨーロッパは、アメリカに計画的に壊滅させられた」

ことを示唆する文書なのです。

これは、スウェーデンの日刊紙であるニヤ・ダグブラデット（Nya Dagbladet）が、9

月15日に特報として報じたものです。

アメリカのランド研究所（ランドコーポレーション）という歴史あるシンクタンクの文書からということで、ランド研究所自身は、報道の「直前」（後ではなく、報道の前日）に、その文書の内容を否定しましたが、まず最初に、そのスウェーデンの報道をご紹介します。

NYA DAGBLADET　FÖRSTASIDAN　SENASTE NYTT

UTRIKES

Shocking document: How the US planned the war and energy crisis in Europe

衝撃的な文書：米国がヨーロッパで戦争とエネルギー危機をどのように計画したか

INTERNATIONAL ＞

- In what appears to be an exceptional internal leak from the think tank RAND Corporation, known among other things to have been behind the American strategy for foreign and defence policies during the Cold War, a detailed account is given of how the energy crisis in Europe has been planned by the United States.

Nya Dagbladet

信憑性その他については、その後に付け加えさせていただきます。

真実だとすれば、もう頭がクラクラするような話ではあり、ヨーロッパは「自死」しているのではなく、ヨーロッパ（特にドイツ）は、「アメリカに戦争を仕掛けられた」ということになります。そして、現状のヨーロッパを見ておわかりのように、もはやヨーロッパの一部の国が助かる見込みはほとんどありません。

ちなみに、このスウェーデンの新聞の記事は、他はすべて「スウェーデン語」なのですが、この記事だけ英語で書かれています。

これはスウェーデン国内向けではなく、世界に向けて発信する意図があるように思います。

衝撃的な文書：ヨーロッパでの戦争とエネルギー危機を、アメリカはどのように計画したか

Shocking document: How the US planned the war and energy crisis in Europe

Nya Dagbladet 2022/09/15

私たちニヤ・ダグブラデット紙は、ウクライナの戦争と、誘発されたエネルギー危機によって、ヨーロッパ経済を破壊しようとするアメリカの機密計画のように見えるものを公開することができるに至った。

概要

・シンクタンク「ランド研究所」からの例外的な内部リークのように見える文書の中で、ヨーロッパのエネルギー危機がアメリカによってどのように計画されたかについての詳細

な説明が与えられている。ランド研究所は、特に冷戦中の外交および防衛政策に関するアメリカの戦略の背後にいたことで知られている。

・今年1月に作成されたこの文書は、紛争前にウクライナが追求していた攻撃的な外交政策により、ロシアがウクライナに対して軍事行動を取らざるを得なくなることを認めている。その実際の目的は、すでに準備されていた対ロシア制裁をヨーロッパが広く採用するよう圧力をかけることであったと文書は主張している。

・この結果として、欧州連合の経済は「必然的に崩壊する」と文書は述べており、作成者は、とりわけ、最大90億ドル（約1兆2000億円）の資源が米国に逆流するという事実を賞讃している。結果、ヨーロッパの高学歴の若者たちは移住を余儀なくされるだろうとも書かれてある。

・この文書に記載されている主な目的は、ヨーロッパ、特にドイツとロシアを分断し、ロシアのエネルギー供給がヨーロッパ大陸に到達するのを阻止するために有益な愚者を政治的立場に置くことによって、ヨーロッパ経済を破壊することだ。

1850人のスタッフと3億5000万ドル（約500億円）の予算を擁するシンクタンクであるランド研究所は、「調査と分析を通じて政策と意思決定を改善する」ことを公的な目的としている。ランド研究所は、主にアメリカ国防総省と関係があり、冷戦中の軍事およびその他の戦略の開発に影響を与えたことで有名だ。

このランド研究所の署名がある「ドイツを弱体化させ、アメリカを強化する」という冒頭のタイトルの文書は、アメリカ経済全体を維持するために、外部からの資源の流入が「緊急に必要」であるが、特にそれは銀行システムであることを示唆している。

ランド研究所によると、このアメリカの野望を阻む主な障害は、ドイツの独立性の高まりだ。とりわけ、ブレグジットはドイツにより大きな独立性を与え、アメリカが欧州政府の決定に影響を与えることをより困難にしたと指摘している。

この皮肉な戦略に浸透している重要な目的は、特に、アメリカにとって最大の経済的および政治的脅威と見なされているドイツとロシア、およびフランスの間の協力を破壊することだ。

「このシナリオが実行されれば、最終的に欧州は、経済面の競争相手というだけでなく、政治でもアメリカの競争相手になるだろう」と宣言している。

その唯一の方法：「ロシアとドイツ双方をウクライナとの戦争に引き込む」

この政治的脅威を鎮圧するために、文書では、主にドイツ経済の破壊に焦点を当てた戦略計画が提示されている。

「ロシアの（エネルギー等のドイツへの）供給を停止することは、ドイツ経済にとって壊滅的な組織的危機を引き起こし、間接的に欧州連合全体に壊滅的な影響を与える可能性がある」と文書は述べ、鍵はヨーロッパ諸国を戦争に引き込むことであると確信していると した。

文書には以下のようにある。

「ドイツがロシアのエネルギー供給を拒否することを確実にする唯一の可能な方法は、双方をウクライナでの軍事紛争に巻き込むことだ。この国での私たちの継続的な行動は、必然的にロシアからの軍事的反応につながる」

「ロシアは明らかに、軍事的対応なしにドネツク人民共和国に対する、大規模なウクライナ軍からの圧力に屈するつもりはない。これにより、ロシアを攻撃的な国家として描写し、すでに作成されている制裁のパッケージ全体を実施することが可能になる」

緑の党はドイツを「罠に陥らせる」ことを強いる

ヨーロッパの緑の党は、アメリカ帝国主義の用事を実行するように操作するのが特に簡単であると以下のように説明されている。

「ドイツがこの罠に陥る前提条件は、緑の党とヨーロッパのイデオロギーの支配的な役割だ。ドイツの環境運動は、狂信的ではないにしても、非常に独断的な運動であり、このタイプの政治家に経済的な議論を無視させるのは非常に簡単だ」

「彼らは、個人的な特質とプロ意識の欠如により、自分の過ちをすぐに認識することは不可能であると考えることができる。したがって、プーチンの攻撃的な戦争のメディアイメージを迅速に形成し、緑の党を制裁の熱烈でタフな支持者にする、つまり『戦争党』にするのに十分だ。これにより、何の障害もなく制裁を科すことが可能になる」

緑の党のアナレナ・ベアボック氏は、ロシアからのガス供給停止を冬の間も継続すると宣言したことでよく知られている。最近、彼女は、プラハで以下のように述べている。

「私たちはウクライナを支持します。これは、政治家にとって非常に困難になったとしても、冬の間も制裁が続くことを意味します」

「理想は、ロシアからの供給の完全停止」

文書の作成者は、ドイツとロシアの間の溝が非常に大きく、その後、両国が正常な関係を再構築することが不可能になることを望んでいる。

「ロシアのエネルギー供給の減少、理想的には、ロシアからの供給の完全な停止が、ドイツの産業に悲惨な結果をもたらすだろう。冬の暖房用に、大量のロシアのガスを転用する必要があるため、不足はさらに悪化するだろう。工業・企業の操業停止は、製造用のコンポーネントとスペアパーツの不足、物流チェーンの崩壊、そして最終的にはドミノ効果を引き起こすだろう」

最終的に、ヨーロッパ経済は、完全に崩壊する可能性が高く、それは望ましいものであると作成者たちは述べている。

「ドイツ経済に壊滅的な打撃を与えるだけでなく、ＥＵの経済全体が崩壊することは避けられない」

さらに、世界市場での競争が少ないアメリカに本拠を置く企業の利点、ロジスティクス上の利点、およびヨーロッパからの資本の流出により、アメリカの経済に推定7％貢献できることを意味すると指摘している。それは9兆ドル（約1300兆円）だ。

さらに、多くの、高学歴で高い知識を持った若いヨーロッパ人たちがアメリカへの移民を余儀なくされることの重要な影響も強調している。

ランド研究所は、レポートの発信を否定した

ランド研究所は9月14日にプレスリリースを発行し、このレポートが彼らからのものであることを否定した。その内容が「奇妙」で、文書が「フェイク」であると単に書いており、報告書のどの部分がフェイクであるのか、または正確であるかについてのコメントはない。

ここまでです。

記事の最後にもありますが、ランド研究所は、この「ドイツを弱体化させる」という文書は「フェイクである」とリリースで発表しています。

以下のように書かれています。

「ドイツを弱体化させる」という偽のランド研究所レポート

米国が「ドイツを弱体化させる」ための奇怪な陰謀について、リークされたとされているランド研究所のレポートは偽物です。

For more information on this publication, visit **www.rand.org/**

About RAND

The RAND Corporation is a research organization that develops solutions to public policy cha
throughout the world safer and more secure, healthier and more prosperous. RAND is nonprofit,
public interest. To learn more about RAND, visit www.rand.org.

Research Integrity

Our mission to help improve policy and decisionmaking through research and analysis is enabled
and objectivity and our unwavering commitment to the highest level of integrity and ethical beh
and analysis are rigorous, objective, and nonpartisan, we subject our research publications to a rob
process; avoid both the appearance and reality of financial and other conflicts of interest throug
and a policy of mandatory disclosure; and pursue transparency in our research engagements thr
publication of our research findings and recommendations, disclosure of the source of funding of
ensure intellectual independence. For more information, visit www.rand.org/about/principles.

RAND's publications do not necessarily reflect the opinions of its research clients and sponsors.

Published by the RAND Corporation, Santa Monica, Calif.
© 2022 RAND Corporation
RAND® is a registered trademark.

この偽の文書の潜在的な起源を考慮して、プロパガンダへの「虚偽の消防ホース」アプローチと、偽情報の拡散によって部分的に引き起こされる現象である「真実の崩壊」に関するランド研究所の広範な研究について、リソースを探索することをお勧めします。

rand.org 2022/09/14

ランド研究所がフェイクだとする先ほどの「文書」は以下にあります。

Weakening Germany, strengthening the U.S.

その2ページ目には、ランド研究所の署名があります（上の写真）。

この文書は、いわゆるネット上に文章が投稿されているものではなく、「プリントされた文書をカメラで撮影した」ものです。

ですので、普通の機械翻訳等ができず、「本当に先ほどのスウェーデンの新聞に書かれてあるようなことがこの文書に書かれているのか」ということがわかりづらいですので、面倒ですが、1ページ目を文字おこししてみました。

それを文章にしたものをPDFでこちらにアップしておきます。

これで機械翻訳できますが、確かに、スウェーデンの新聞にあることが書かれています。

1ページ目には以下のように書かれていまして、スウェーデン紙の報道にはなかった、「今のままではアメリカの民主党が議席を失ってしまうため」というようなことにふれてもいます。

以下がその1ページ目です。

ここまでで写真からの文字おこしは疲れてしまいましたので、ここまででご容赦下さい。

ドイツを弱体化させ、アメリカを強化する
米国経済の現在の状態は、外部からの財政的および物的支援なしに機能できることを示唆していない。
FRBが近年定期的に実施している量的緩和政策と、2020年と2021年のCov

ｉｄロックダウン中の制御されていない現金の発行により、対外債務が急激に増加し、ドル供給が増加した。

経済情勢の悪化が続くと、２０２２年11月に予定されている次期選挙で、民主党が議会と上院での地位を失う可能性が高くなる。このような状況下では、大統領の弾劾の可能性を否定できず、それは何としても回避しなければならない。

資源が国家経済、特に銀行システムに流入する緊急の必要性がある。

ＥＵとＮＡＴＯのコミットメントに拘束されているヨーロッパ諸国だけが、私たちにとって大きな軍事的および政治的コストなしにそれらを提供することができる。

それに対する主な障害は、ドイツの独立性の高まりだ。ドイツは依然として主権が制限された国だが、何十年もの間、これらの制限を取り除き、完全に独立した国家になるために一貫して動いてきた。この動きはゆっくりと慎重だが、着実だ。


ここまでです。

簡単に書きますと、今のままでは、アメリカが危ういが、

「ドイツを叩きつぶすことにより、それがアメリカの国益になる」

ということが書かれてあるようですが、ただ、これがフェイクにしても何にしても、書かれてあることは非常に「その通り」であり、理屈的に奇妙な部分は特にないように思います。

特に、先ほどのスウェーデンの報道にある、
「プーチンの攻撃的な戦争のメディアイメージを迅速に形成し、緑の党を制裁の熱烈でタフな支持者にする」
というのは、本当に納得できる現在までの流れではあります。

今回の報道が、「スウェーデンから出た」ということも印象的です。

最近、スウェーデンで総選挙がありましたが、右派が勝利し、左派のアンデション首相（世界経済フォーラム所属）が辞任しています。

（報道）スウェーデンの首相が辞意表明　総選挙で右派に敗北（BBC　2022／9／15）

今、スウェーデンでは、右派がウハウハなんです（いい加減にしろ）。

そのスウェーデンからの報道というのが印象的でした。

自死に見える他殺

それにしても、この文書が仮に正しいとすれば（理屈はまったく合っているので）、「これまでの疑問」が多少は消えます。

つまり、「なぜ、ヨーロッパは自死に向かっている？」ということが不思議でならなかったのです。以下の記事のタイトルにもありますように、グレートリセット的なものなのかなとかも思わないでもなかったですが、どうも理に合わない。

［記事］誰を崩壊させるための対ロシア制裁なのか。目指すのは西の自死？　それともこれもいわゆるグレートリセットへの道？

In Deep　2022年4月2日

このタイトルの「誰を崩壊させるための対ロシア制裁なのか」の答えは、「まずドイツ、そしてEU全体」

ということになるということのようですが、しかし、

「その首謀者がアメリカ」

だったとすれば、もう何といっていいのやら。

そして、現時点ですでにヨーロッパは以下の記事で書きましたように、もはや終末に近い状態です。

[記事] 欧州はすでに「新たな暗黒時代」に入った
In Deep 2022年9月14日

ヨーロッパでは過剰死も拡大（In Deep 2022年9月16日）していますしね。

ただ、ランド研究所のレポート（とされるもの）が書いている、「ヨーロッパから流出した高学歴の若者たちがアメリカに向かう」という部分は、そうはならないような気もします。

本当に頭がいい若者たちなら、今のアメリカには向かわないはずです。

ディープステートは現在「死ぬか生きるか」の瀬戸際にある！だからこそ、世界のリスクはさらに高い状態に

投稿日：2022年6月6日

さて最近、

「ディープステートは『死ぬか生きるかの瀬戸際』の瞬間にある」

というタイトルの記事を読みました。

著作『ディープステート』の作者であるアレックス・ニューマンという人の動画の発言を説明した記事でしたが、ディープステートは非常に追いつめられていると。そして、そのことを認識していると。

だからこそ、渾身(こんしん)で自分たちの方法を今後拡大するだろうと。

ディープステートの方法論の根本は、

「人々に恐怖を与える」

ということです。

そして、その理想的な進展は、昨日の以下の記事でご紹介した海外の記事にある、

＞人々は、「自分たちに何が起こっているのかがわからないことを知らない」ことさえ知らない。

という状態を貫くことです。

[記事]「現実と幻想の区別」が全地球単位で失われたコロナとワクチン後の世界
In Deep　2022年6月5日

しかし、何が起こっているのかについては、もう気づいている人は気づいているわけで、そういう方々の場合、「今後、何が起きても同じ」ということになり、仮にですけれど、そういう人が増えていけば、ディープステートは立ち行かなくなる。

そんなわけで、その『ディープステート』作者の発言をまとめた記事をご紹介させていただきます。

なお、この方が述べていることは、ディープステートの崩壊の可能性のほうより、それ

を知る彼らが全力で危険なことを始める可能性があるということです。

この世は一時的にせよ、さらに危険になる可能性があるようです。

病気、食糧やエネルギー危機、金融危機あるいは崩壊、また、私個人は核や激しい暴力事象もないではないとは思います。


ディープステートは「死ぬか生きるかの瀬戸際」の瞬間にある―アレックス・ニューマン氏はグローバリストたちは「すべての人々を怖がらせる必要がある中にいる」と警告する

“The Deep State Is In A ‘Do-Or-Die’ Moment” - Alex Newman Warns Globalists ‘Need To Terrify Everyone’

zerohedge.com 2022/06/02

著作『ディープステート』の著者であり、受賞歴のあるジャーナリストのアレックス・ニューマン氏は、ディープステートのグローバリストたちは、アメリカを含む地球上のすべての国に課そうとしている専制政治に対して「世界が目覚めること」を恐れていると述べている。

物事は現在、ディープステートが想像していたほどスムーズに、いわゆるリセットに移行していない。

ニューマン氏は、「ディープステートは現在、死ぬか生きるかの瞬間にあります……」と説明し、以下のように述べる。

彼ら、エリートたち、または捕食者階級は、今これが停滞していることを認識しています。しかし、彼らが撤退を試みようとしても、撤退することはできないのです。人々は、この瞬間に、非常に速い速度で目覚めています。

今後も人々を破産させ、アジェンダ全体を押し付け、魚雷を全速力で前進させようとすると、彼らディープステートは大きな問題を抱えることになります。彼らは起訴されるでしょう。今、アメリカの司法長官事務所では（アメリカ）全土規模ですべての話が出ています。これは問題です。人々は（ディープステートに対しての）起訴を要求しているのです。

現在、エリートたち、つまり捕食者クラスは、彼らが非常に速く前進しなければ、すべてを失うことになることに気づいています。彼らはおそらく真の説明責任に直面する可能性があります。

しかし、今、私たちは非常に危険な状況にあると思います。人々がそのような立場に入るとき、彼らには多くの選択肢はありません。彼らは選挙を中止するか、狂ったように騙し続けるか、あるいは、すべてを崩壊させようとします。

インフレが制御不能になり、食糧危機と飢餓が間近に迫っていますが、もちろん、これらは彼らが設計したものです。そしてサル痘と鳥インフルエンザ……ディープステートによるすべての危機が並んでいるのです。

彼らには、まだプレイする選択がたくさんあることに気づきます。今からアメリカ大統領中間選挙までの間に、非常に興味深い進展があるのではないかと思います。

もし私たちが正直な選挙をしたとしたら、彼らは完全に打破されます。彼らは焼け焦げるでしょう。彼らはそれを知っているのです。

ニューマン氏は、ディープステートによる次の動きは、米ドルの購買力の崩壊を含む危機と、遠くない将来にすでにロックオンされている食糧危機の組み合わせである可能性があると考えている。

ニューマン氏は警告する。

ロシアとウクライナで起きていることを除外することはできません。その（戦争の）拡大について、非常に現実的な見通しがあります。

絶望的になった人々は絶望的なことを行います。

現在の彼らは、隅に追いやられた動物と同じです。そのような状況で動物を捕まえると、攻撃して危険なことをする以外に選択肢がほとんどなくなります。

それが私たちの現在の状況だと思います。

彼らは、アジェンダを進めるために危機が必要であることを認識しています。彼らは人々を怖がらせる必要があるのです。

そしてそれは決してディープステートによって行われたという証拠が見えてはいけないのです。人々が（自主的に）互いに恐怖を拡大させる方法を彼らは探し始めています。

ニューマン氏は言う、

アメリカには好転する可能性があり、また好転する必要がありますが、それには、たとえば良い神による介入のような仕事が必要になります。

ニューマン氏は「確実な解決策はありません」と言って話を締めくくった。

世界的な干ばつと異常気象はさらに厳しくなり その先には「もはや食糧は存在しない」世界が……

投稿日：2022年4月5日

太陽活動の22年周期と共に訪れる長く強いラニーニャに、終わる気配がない

エルニーニョ現象という言葉と共に、「ラニーニャ現象」というものがあります。どちらも、赤道付近での海水温が通常とは異なることにより天候の異変などが起こるものですが、ラニーニャの場合は、赤道付近で海水温が低下する現象によって起きます。

今現在、ラニーニャ現象が続いているのですが、アメリカの穀物関係のメディアで、「6月までラニーニャが終わらない可能性が出てきた」とする専門機関の報告を引用した記事が出されていました。

しかも現在すでに記録的な長期間にわたるラニーニャとなっているのだそうです。

これは、かなり明白に気象や気温の異常と結びつくものですが、最近は「食糧」のこと

を書くことが多いですけれど、それと直結する話です。
日本の気象庁は１か月ほど前に以下のように報じていました。

ラニーニャ、春まで継続か　日照に影響も、２月監視速報

気象庁は10日、昨年秋から継続中の「ラニーニャ現象」が２月も続いたとみられるとの監視速報を発表した。春の間も継続する可能性が高く、夏には平常に戻る見通し。春も続いた場合、日照時間が西日本で長くなり、北日本の太平洋側では短くなる傾向がある。
気象庁によると、ラニーニャは、太平洋赤道域の日付変更線付近から南米沿岸にかけて、海面水温が低い状態が続く現象。世界的な異常気象を引き起こすとされる。
２月の海面水温は基準値より１・１度低かった。今後は、春の前半は低い状態が継続し、春後半から次第に平常に近づいて、夏ごろには暖かい海水が流入するとみている。（共同２０２２／03／10）
もう少し詳しいところですと、気象庁のサイトには以下のようにあります。

＞ラニーニャ現象が続いているとみられる。

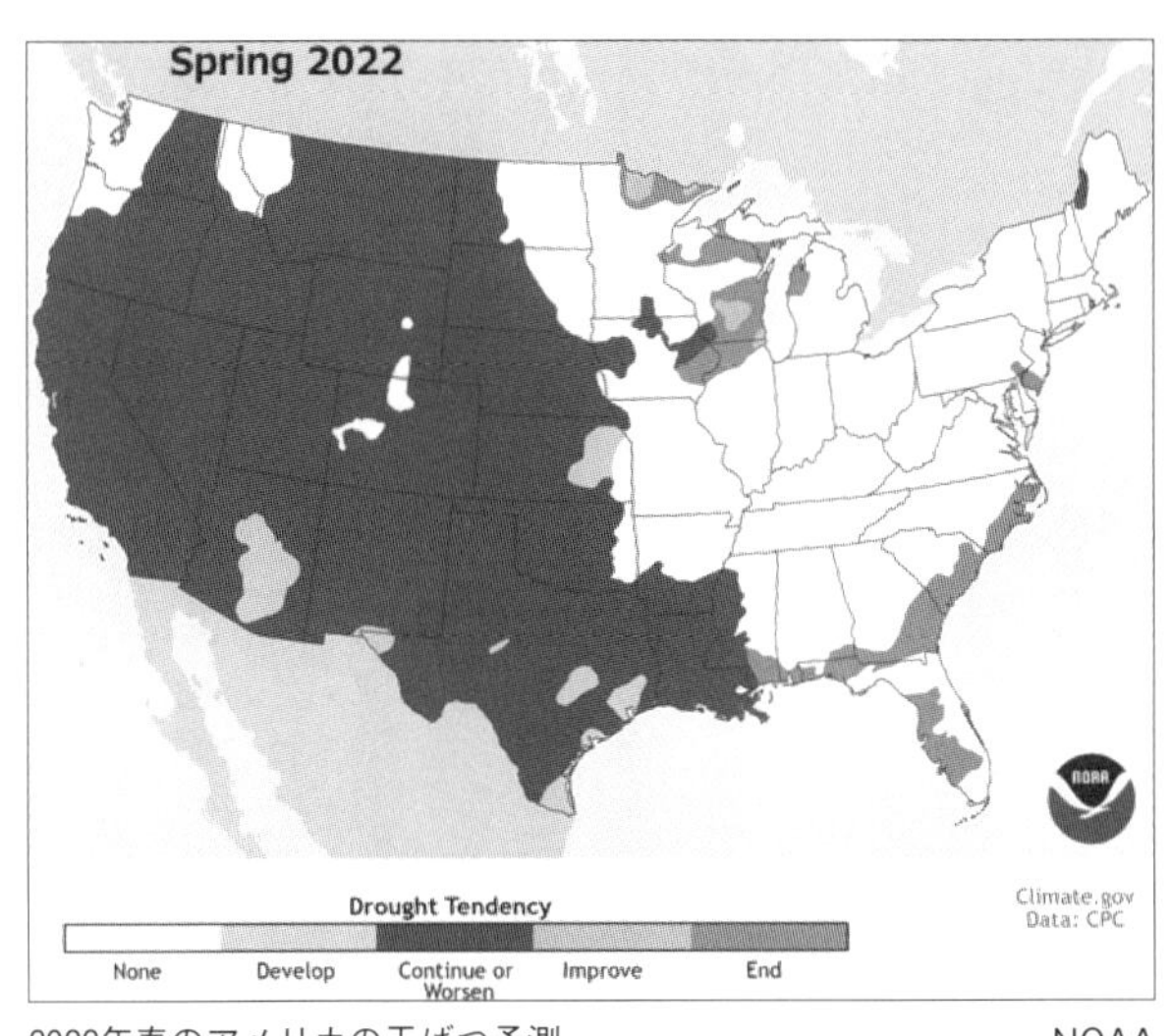

2022年春のアメリカの干ばつ予測　NOAA

＞今後、春の間にラニーニャ現象が終息し、平常の状態になる可能性もある（40％）が、ラニーニャ現象が続く可能性の方がより高い（60％）。

＞その後、夏は平常の状態になる可能性が高い（70％）。（気象庁）

これで心配されるのは、日本での低温とか高温とかの気温の問題もあるのですけれど、

「北米の極端な干ばつ」

です。

以下の記事などで取りあげましたけれど、すでにアメリカの相当な地域が、記録的な干ばつ状況にあります。

［記事］米海洋大気庁が、アメリカ西部から中部の全土の60％近くが「7月まで雨がほぼ降らない極端な干ばつ」と予測。その一方で東部では春の洪水リスクが高いと発表
地球の記録 2022年3月20日

実際、すでにアメリカの一部地域での冬小麦（秋に蒔いて春に収獲する）の収穫量が、「過去最低レベル」になる見通しが立てられています（In Deep 2022年3月22日）。

NOAA（アメリカ海洋大気庁）の以前の予測では、今年のアメリカの夏までの干ばつ状況は前ページの図のようになると予測されていました。一番暗い部分が「干ばつが持続する、あるいは悪化する」と予測されている地域です。


しかし、これはまだ時期的に、「ラニーニャの継続を織り込んでいないもの」だと見られます。

ラニーニャが長引く場合、アメリカの干ばつが、さらに厳しいものとなっていく可能性が出ているということになるのかもしれません。

まあ……「ラニーニャだとこうなる」という法則などはないのですが、傾向として、やや異常な気象に傾くことが多いことも事実です。

小麦の価格と、それどころか供給そのものが世界的に混乱している中で、アメリカなどからの小麦輸入量が多い日本は、アメリカが過度な干ばつの影響を受けた場合は、秋以降かなり厳しい状況となる可能性があります。

まずは、そのラニーニャについて報じていた国際的な穀物情報メディアの記事をご紹介します。4月4日の記事です。

この記事で、初めて、ラニーニャ現象が太陽活動のサイクルと連動していることを知りました。

「永続的なラニーニャが　6月まで続く可能性があり、アメリカの干ばつが促進される可能性がある」

Persistent La Niña only needs to last until June to promote drought

world-grain.com 2022/04/04

カナダ南西部の大草原から米国の西部半分の全体に干ばつが蔓延し続けている。

今年1月と2月の天候により、干ばつは東に向かって米国西部のコーンベルトに拡大した。冬は通常なら干ばつが拡大するのではなく、干ばつが減少する時期であるにもかかわらず、そのようになっているのは悪い兆候といえる。

ラニーニャ現象は２０２０年以降続いており、この持続は主に雨不足と関係する可能性がある。最近、現在のラニーニャ現象の期間について議論している予報官たちもいるが、ワールド・ウェザー社（World Weather Inc.）は、6月になれば、ラニーニャは収まるだろうと述べている。

ラニーニャ現象は、北半球と南半球の両方の中緯度から水分を取り除く。

過去20か月間、ラニーニャが続いているが、それだけで、この現象によって大気から顕著な量の水分が除去された。昨年の夏にカナダと米国中部で作物生産に影響を与えた雨不足と干ばつは、太平洋十年規模振動（太平洋各地で海水温や気圧の平均的状態が、10年を単位とした周期で変動する現象）の負の段階の助けを借りたラニーニャに起因していた可能性がある。

ロシア東部のニューランドとカザフスタンでの昨年の夏の干ばつも、ラニーニャに関連している可能性がある。

ほとんどのラニーニャ現象は、一般的には8〜14か月しか持続しないが、今回のラニーニャ現象はこれほど長く続いているので、ラニーニャはもはや世界の天気にあまり影響を与えていないと考え始めた予報官たちもいるほどだ。

これほどの長期にわたるラニーニャ現象が発生したのは、最新では２０１０−12年で、23か月続き、これは、米国の２０１２年の顕著な干ばつにつながった。

その出来事の前に、米国で以前の重要な干ばつは１９８８年に発生した。また、北米大陸の一部とカナダは２０００年から２００４年までの干ばつの影響を受け、米国中部の一部が最も影響を受けた。

同様に、１９５０年代と１９３０年代に複数年にわたる干ばつが発生し、それぞれが長いラニーニャ現象に関連していた。

カナダの大草原地帯は２０２１年に最大の農業生産損失を被り、翌年の干ばつは、カナダ南東部から米国に移った。

長期にわたるラニーニャのそれぞれの事象は、常に太陽黒点の太陽極小期の直後に発生している。したがって、長期にわたるラニーニャ現象と太陽極小期後の数年間には大きな関連があるようだ。

通常、より長いラニーニャ現象は、１年おきの太陽周期で発生する。

もっと簡単に言えば、ラニーニャの発生は22年ごとに最も日常的に発生するようだ。２０１０年から２０１２年のラニャーニャはそのパターンではなかったが、他のほとんどの重要なラニーニャ現象は、現在と同じ22年の太陽周期に結びつく傾向があった。

次の数週間は、米国中部の平原から中西部の上部に雨がより頻繁に、より顕著に降る機会を提供すると見られる。今後数か月間で雨天に最も適した時期となるだろう。雨の頻度と強度が十分に高くなれば、平野とコーンベルト西部で干ばつを減らすことができ、それは土壌水分が良好である間に春の植え付けが行われるのに必要な時間の改善された機会を提供する。

ただし、今後数週間の大雨に天候パターンがあまり適応しない場合は、気温が高く乾燥しているため、干ばつがやわらぐ可能性が低くなるだろう。

ラニーニャ現象は、今後数週間の北米の中心部における降水量の分布について多くのことを語ると思われる。最新の海面水温データは、ラニーニャが 2月下旬と3月上旬に弱まった後、再び強まっていることを示唆している。

重要なことは、このラニーニャ現象がどれだけ長く続くのかということだ。

ほんの数週間前、多くの予報官たちはラニーニャ現象が春には消滅することを示唆していたが、ラニーニャは消えておらず、今後の予想もされていない。過去の統計からは、今回のラニーニャがより長く優勢になることを示唆している。

すべての指標は、このラニーニャが春全体を通して存在することを示唆しており、今では夏まで続くことを示唆する予報官たちもいる。

ワールドウェザー社は、6月以降にラニーニャ現象が持続するかどうかは問題ではないと考えている。

この理由は多面的だ。

まず、ラニーニャが　6月に消滅した場合でも、大気中には長引く足跡が残り、おそらく2、3か月は長引くだろう。

第二に、このラニーニャ現象は、過去に起こったものほど長くは続いていない。太陽極小期の後に発生し、太平洋十年規模振動の負の段階を伴う以前の拡張ラニーニャ現象のほとんどが、23〜36か月続いたのだ。

今月は2020年以来20回連続のラニーニャ月であり、それはより長く続く可能性がある。

第三に、太平洋の赤道域全体の海面下の海温の異常を見ると、しばらくの間、少し強度が増す可能性のある、わずかに組織化されたラニーニャに対する強いサポートがある。

北米の中央部と西部では、干ばつがすでに発生しているため、春の中期と後半に米国のグレートプレーンズ（アメリカ中西部の大平原）上に高気圧の尾根が発達する可能性がすでにある。それは、ラニーニャが春まで続いた場合、夏の暑さが来る前に、高気圧の夏の尾根がこの地域全体に強く構築し始めるのに十分な長さだ。

米国中部での通常よりも早い時期の高気圧の発達は、降雨事象を抑制し、高温化を引き起こし、それはさらに乾燥を悪化させるだろう。明確に定義された高気圧が米国平原上に発達した場合、それは降雨に関しての気象システムが西からこの地域に流入するのを防ぐ。

本質的に、ラニーニャ現象が春まで続いた場合（夏で終わったとしても）、干ばつが悪化し、拡大し、激化するのを可能にするのに十分な乾燥を農業地域に残し、それはより深刻な干ばつにつながる可能性がある。

6月にラニーニャがなくなったとしても、夏の終わりまたは秋に気温の低い季節が到来するまで、天候パターンを変更する十分な時間がない。その結果、何が起きても、高気圧の尾根がより持続し、干ばつが激しくなると見られる。

ここまでです。

穀物情報サイトって最近見始めたのですが、すごいですね。太陽活動周期にまで言及している。

＞ほとんどの重要なラニーニャ現象は、現在と同じ22年の太陽周期に結びつく傾向があった。

などの説明を読みますと、太陽マニアの私などはゾクゾクしますが、しかし、

「現在その22年周期の中にある」

のです。

ラニーニャが非常に長く持続する可能性がある。

といいますか、この記事にもあります通り、

「6月でラニーニャが終わったとしても、干ばつへの影響は避けられない」

ということになるようです。

しかも、過去の歴史的な干ばつに匹敵するようなものとなる可能性さえあるというように読めます。

「秋から世界の穀物どうなるんだよ……」

と本当に思います。

特に世界的な問題となるのは小麦ですね。


しかしですね。

アメリカの小麦を心配する以前に、「ラニーニャが発生している時は、日本の農作も大きな影響を受ける傾向が強い」のです。

先ほども書きましたけれど、ラニーニャが起きたからこうなる、という定理は一切ないですけれど、ただ、気温が高い低い、あるいは雨が多い少ないということを別にして、「通常とは異なる」という気象にはなりやすいようです。

なお、先ほどの記事では、「太陽活動の22年周期」という言葉が出てきますが、22年前の西暦2000年もラニーニャでした。1998年から続いた長いラニーニャでした。

Wikipedia（エルニーニョ・南方振動）には以下のように書かれています。

・1998年夏－2000年春　ラニーニャ　暖冬（北日本の並冬）1999年の東日本〜北日本で猛暑と暖秋、中国で旱魃、インドネシアで大雨、欧州で寒波（Wikipedia）

1993年に「平成の米騒動」と呼ばれた歴史的な日本でのコメ不足の年がありましたが、それはラニーニャではなく、エルニーニョ現象による冷夏によってもたらされましたが、今年はどうなりますかね。

すでに世界中のいろいろな国で農作状況があまり良くないのです。

［記事］アメリカで小麦生産量が最も多いカンザス州やテキサス州の冬小麦収穫が、雨不足により過去最低レベルになる見通し。しかもカナダからの肥料の流入も停止中

地球の記録　２０２２年３月22日

［記事］オーストラリアのニューサウスウェールズ州で、大洪水のために農作物全体に記録的な損失

地球の記録　２０２２年３月19日

［記事］大豆生産量世界第６位の南米パラグアイが、記録的な大豆の不作により「同国史上初の輸入」をせざるを得ないという異常な状況に

地球の記録　２０２２年３月25日

そして、ロシアとウクライナの戦争が徹底的に長期化する可能性を指摘する人たちが増えていて、米ブルームバーグの意見記事では、

「今は、第二次世界大戦前の１９３９年と酷似している」

と表現されていました。

第三次世界大戦というような言葉が、ブルームバーグのようなメジャー報道でも出されてきています。

以下の記事です。

ウクライナの戦争からの7つの最悪のシナリオ

Seven Worst-Case Scenarios From the War in Ukraine

戦争が拡大すれば、物流そのものが停止に近い状態にならざるを得ない状況も出てくるかもしれない中で、ラニーニャの持続により、世界の食糧大生産国の「極端な不作」の可能性が高まっています。

著者プロフィール

岡 靖洋　おか やすひろ

1963年北海道生まれ。明治大学経営学部中退。23歳の時に表現集団「self23」の活動を開始。「人生の定年は30歳」という幼少時からの指標通りに、その年齢となった1993年より国内外で隠居行動を開始。その後、ブログ『In Deep』を書き始める2008年までの経歴は、非公表……というか「存在しない」のだと思います。

『In Deep メルマガ』（まぐまぐ大賞2021年「コラム１位」受賞・殿堂入り）
この世界に関しての真実、そして私たちが本当に知るべきと思われる智恵や情報を発信させていただければと思っております。

ブースター接種世界一の日本人よ！

【In Deep】破壊真っ只中の地球

探せ！　安全に歩くためのマップを！

第一刷　2023年7月31日

著者　岡　靖洋

発行人　石井健資

発行所　株式会社ヒカルランド
〒162-0821　東京都新宿区津久戸町3-11　TH1ビル6F
電話　03-6265-0852　ファックス　03-6265-0853
https://www.hikaruland.co.jp　info@hikaruland.co.jp
振替　00180-8-496587

本文・カバー・製本　中央精版印刷株式会社
DTP　株式会社キャップス
編集担当　伊藤愛子

ISBN978-4-86742-283-0

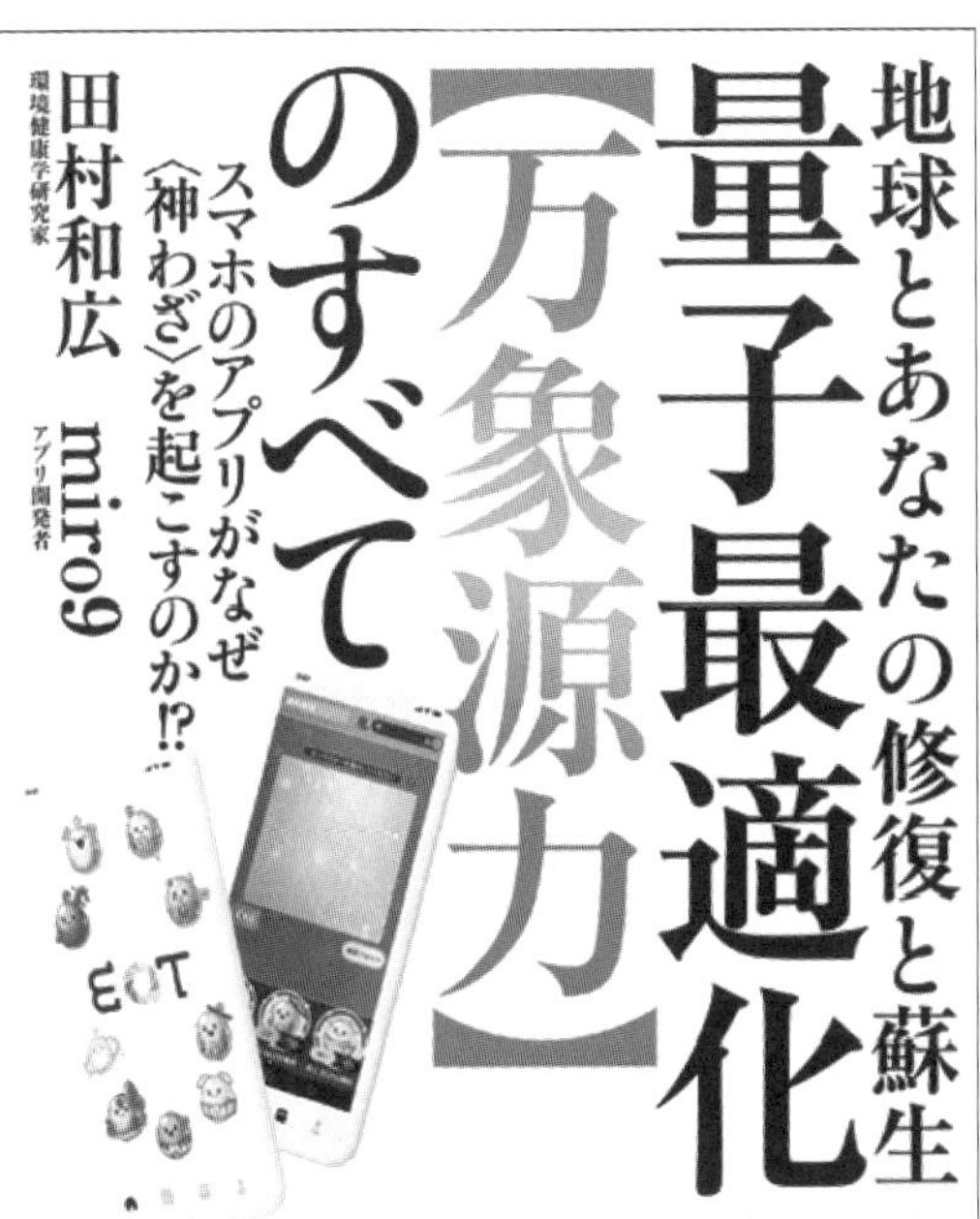

地球とあなたの修復と蘇生
量子最適化【万象源力】のすべて
著者：田村和広／miro9
四六ソフト　本体2,000円+税